東南アジア式「まあいっか」で楽に生きる本

野本響子

文藝春秋

はじめに

この本は、「日本がなんだか辛(つら)いな、苦しいな」と思っている方のために書きました。

私はマレーシアという国に長期滞在して十年になります。

マレーシアに興味を持った理由は、単純に子育て世代が「楽しそうだったから」です。一九九〇年代の半ば、まだ普及したばかりのインターネットで偶然知り合ったマレーシア華人家族と仲良くなり、日本とマレーシアを行き来するようになりました。

フィリピンやタイを含め、東南アジアの国は、日本とは何もかもが違います。私は東京のきちっとした感じも好きでしたが、ここでは人びとがリラックスしているのです。

九〇年代後半のマレーシアの中華料理店は、どこも家族連れでいっぱいでした。多くの店にベビーチェアがあり、彼らの子どもが穏やかな人びとに可愛がられ、歓迎されるのを見ました。その後、ティーンになった子どもたちは何度も転校します。「ハッピーじゃなければ転校するのだ」と聞いて、また驚きました。

自分も子どもができたら、いつかマレーシアに住んでみたい——私自身も、息子が小学生になったタイミングで長期滞在して住んでみることにしました。最初はビザの関係で母子だけでしたが、私が仕事を見つけてからは夫が会社を退職して合流。それから十年が経ち、子育てはほぼ終わりつつあります。

日本と最も違うのは、人びとの考え方だと感じます。

マレーシアで生活していたら、なぜかイライラすることが減りました。

マレーシアは、東南アジアに位置する立憲君主制国家で、マレー系、華人、インド系の3民族と少数民族が住む、多民族国家です。

マレーシアはよく「多様性」「寛容」というキーワードで語られます。

多様性の見本市のような国で、イスラム教、キリスト教、仏教、ヒンズー教、シク教など、さまざまな考えの人が共存します。食べるものから着るものまで異なるので、ある程度、他者に寛容にならないとなりません。一方で、社会の変革スピードは速く、まとまるときはさっとまとまります。ライドシェアのGrab（グラブ）は当初は既存勢力（タクシー業界）と揉めたものの、あっというまに普及。銀行や公共機関のＩＴ化も速いです。何より、人びとの顔が明るく見えるのです。そういう私もいつのまにかストレスが減りました。

日本に帰るたびに、疲れた顔の人が多いことが気になります。いつも思うのは、とにかく真面目にがんばっている人が多いのに、「報われていない」ように見えること。「いったいなぜ、こんなに違うのだろう?」と不思議なのです。

日本の社会が合わなくてマレーシアに移住してきた人の中には、「初めからこういう世界を知りたかった」「人間関係も働き方も楽だ」とおっしゃる方もいます。

日本はGDP(国内総生産)だけ見ればマレーシアよりはるかに高い先進国。しかし日本人は「お金がないと幸せになれない」と感じている人が多いようです。私は、人間の幸せは、お金とか地位がもたらすものだけではないと、マレーシアで暮らすようになって考え方が変わりました。

かつての私は「自分が、自分が」と考えているような人間でした。

ところが今では「なんとなく全体で幸せになれれば、多少自分が損したり騙(だま)されたりしてもいいや」と思うようになったのです。「人生は短いから楽しまなきゃ」とマレーシア人と同じような口癖も言うようになりました。「みんなで幸せになりましょう」という社会の方が、自然の摂理にかなっているのではないかと思います。「心の状態」が違うだけなのだと思うのです。

本当は、海外に一度出てみて、現地の人の考え方に触れることで、「そういう思考もありなんだ！」と身をもって経験するとよいのですが、「海外に行く時間もないし、現地の人と話す機会もないよ」という人もいると思います。

マレーシアでの生活で学んだことを少しでも伝えられたらと思います。

東南アジア式　「まあいっか」で楽に生きる本◉目次

第1章 「まあいっかの生活」からはじまる人生の幸福 13

第2章

「まあいっかの働き方」がビジネスを変える　55

第3章

「まあいっかの教育」が視野を広げる　97

第4章

「まあいっかの人間関係」が社会を豊かにする 143

東南アジア式「まあいっか」で楽に生きる本

第1章

「まあいっかの生活」から はじまる人生の幸福

「日本で生きるのが息苦しいです」

「ママ友の同調圧力が辛いです」

「人が厳しくて生きづらいです」

「お金が足りなくて生活が厳しいです」


本書の元となった毎日のｎｏｔｅ「東南アジアここだけのお話」の発信を支えてくださる読者の皆さんから、日々そんな言葉が寄せられます。

日本にいた頃、私は日本社会が世界のスタンダードだと思っていました。ところが、国を一歩出て外国に住む人びとと話してみると、日本という国はどうも少し変わっているようなのです。

マレーシアでも「日本は大好き。観光に行くのは楽しい。でも働くのは大変そう」と言う方が少なくありません。

日本在住経験があるフィリピン人が、

「日本の人って、お金があるのに幸せそうじゃないよね……」

とボソッと言いました。

一九九〇年代からマレーシア人やシンガポール人と交流していますが、当時は東南アジアの若者と話をすると「将来は日本に行って働きたい」「日本に行くのが夢だ」と言う人が多かったのです。

ところが、二〇〇〇年頃から減り始め、私がマレーシアに来た二〇一〇年代にはめっきり少なくなりました。日本に観光旅行に行く人が増える一方で、日本人の本音や実際に働いた人の情報が伝えられ始め、「日本に行くのは大好きだけど、働くのは嫌だ」と思う人が増えたのだと思います。

日本国際化推進協会の二〇一五年の調査によると、外国人材の約51％が働く場としての日本に否定的評価をしています。日本で働くことに対し、「非常に魅力的（4・3％）」「やや魅力的（17・7％）」を合わせても二割程度でしかありません。

それと反比例するように、マレーシアに来る日本人の年齢が若くなっています。

かつてはマレーシア長期滞在といえば、年金生活者が多かったのですが、今では若い世代が「子育てしやすいから」「教育しやすいから」という理由で移ってきます。

私自身は、日本に不満もなく生活していました。しかし九〇年代から、休暇でマレーシアに行くたびに、人びとの表情が明るいことに気づき、東京に帰ると「なんで電車に乗っている人の顔がみんな辛そうなのだろう」と気になりました。ボランティアでマレーシアを訪れた大学生が「途上国を助けようと思ったけど、課題が多いのは日本の方だった」と話すこともあります。

マレーシアに来た多くの日本人が口にするのが、「マレーシアの方が社会がリラックスしている」です。これは自分を幸福だと感じる人が多いことと無関係ではないと感じます。日本人が幸福を考えるとき、たいてい「お金」の話が絡んできます。

内閣府が二〇一九年に実施した「満足度・生活の質に関する調査（第1次報告書）」では、年収と幸福度には深い相関関係があります。

「現在の生活にどの程度満足しているか」について、0～10点の11段階で質問したもの。調査結果によると年収100万円未満の世帯の幸福度は平均5・01、年収700万円以上1000万円未満の世帯の幸福度は6・24で、1・23の差が開いています。

ところが、マレーシアでは違うのです。

一九九〇年代からマレーシアと日本を行き来するうちに、「謎の逆転現象」に気づきました。それは「国の豊かさ」と「幸福度」が決して結びついているわけではないということです。

二〇二一年にマレーシア統計局が十一州の四万二二四六人に行った「幸福度調査」では、平均スコアが「幸福」を示す6・48でした。スコアは0から10までで、6〜8は「幸福」に入ります。

調査した主任統計官は「マレーシア人はパンデミックや経済危機にもかかわらず、全体的に幸せを感じていることがわかりました」と述べています。

面白いなと思うのは、「階層、民族、年齢層、性別、学歴、婚姻状況の間に有意なギャップがなかったこと」です。お金がある人もない人も、結婚している人もしていない人も、同様に幸福です。

決して平等とは言えない国なのに、この結果は意外です。

調査が行われた二〇二一年秋はちょうど新型コロナウイルスの感染拡大で厳しいロックダウン（都市封鎖）が解除された頃。多くの人が職を失ったのですが、それでも幸福を感じている人が多いのです。なぜかは後ほど考察しますが、私の実感とも合致します。

二〇二〇年一月五日、マレーシアの英字新聞「ザ・スター」に、モナシュ大学で行われた「幸せの秘訣は何か、愛と意味のある関係性」という調査報告の記事が掲載されました。

この調査でも、マレーシア人の六七％が自分を「幸福だ」と感じ、回答者の九〇％が

「家族が非常に大事だ」と答えています。面白いのは、収入が低い人の方が幸福を感じる割合が高かったことです。人間関係を重視する点でハーバード大学の研究の調査結果と一致しています。

英国の慈善団体であるバーキー財団（Varkey Foundation）が世界二十カ国の十五～二十一歳の若者二万人を対象に行った二〇一七年の幸福度調査では、（この調査対象には発展途上国を入れており、ユニセフなどが行っている調査とはまたひと味違った結果になっています）一位のインドネシアの若者の幸福度は九〇％。

この調査が興味深いのは、「先進国より発展途上国の若者の方が幸福度は高い」ということです。

ヨーロッパの若者は世界平均と同じような幸福レベル。

十八位のトルコでは、五〇％が「大体幸せ」と答えています。

そして日本の若者は、韓国と並んで「最も不幸」でした。韓国はガクッと落ちて二九％、日本は最下位で二八％とかなり低いです。

今の生活に「満足している（四〇％）」または「非常に満足している（五％）」と答えた

日本の若者は全体の半数未満。韓国以外のどの国の若者よりも「自分が不幸である」と考える若者が多かったのです。

しかし、驚くのは日本の若者が「日本は住むのに良い場所だ」と答えていることでした。「日本はいい国だ」と信じているからこそ、絶望感がますます深まってしまうのではないでしょうか。

経済的に豊かである国が必ずしも幸福とリンクしているわけではありません。GDPや安全度、健康寿命などを考慮に入れないこちらの幸福度調査の方が、海外に住む自分の実感に近い。この結果が、私がマレーシアに住むようになって感じている「謎の逆転現象の正体」です。

「謎の逆転現象」の正体

なぜ日本の若者は「自分が不幸」だと感じてしまうのでしょうか。

多少衰えたとはいえ、日本はアジアの中でも先進国であり、世界有数の経済大国です。国民皆保険があり、生活保護制度もある。治安はマレーシアよりずっと良いし、医療体制や公共交通機関も整っていて、物価も比較的安い。なのに日本の若者は、「自分は恵まれていない」「不幸に生まれた」と嘆き、「お金がないから子どもはとても産めません」と言うのです。

海外駐在員への調査でも、なぜか日本はマレーシアに比べて「住みにくい国」という結果が出ています。

CNBCが一万二〇〇〇人の駐在員を対象に五十七都市を調査した二〇二一年の「住みやすさランキング」。住みやすい都市の第一位は、マレーシアの首都クアラルンプールでした。八五%の回答者が「概ね幸せに暮らしている」と答えています。マレーシアには不便なところもたくさんあります。しかし、将来への不安は日本人ほど強くなく、「自分の人生は、自分でコントロールできる」と感じている人の割合が多いです。

一方、東京は五十三位。最下位に近いです。

東京の方がクアラルンプールよりはるかに交通網が発達しており、環境が整っていて経済も発展しています。バブルの頃に比べれば物価も下がりました。それでも「住みにくい都市」だとしたら、「住みやすさの決定打」とはなんなのでしょうか。

外国人が「住みにくい」と言う理由は、日本での「人間関係の難しさ」のようです。

この「住みやすさランキング」の調査でいちばん大きく差がついたのが「Get Settled（住み着きやすさ）」でした。一位のクアラルンプールに対し、東京は五十七位と最下位です。あるアメリカ人は、「日本人は外国人に親切にしてくれるが、自分たちのコミュニティの一員として絶対に受け入れてくれない」と回答しています。これは田舎ではなく、東京の話です。

外国人は家もなかなか借りられないようです。私がマレーシア人や香港人を家に泊めると言うと、「大丈夫？　ちゃんとした人なの？」と心配する人がいました。

言われてみると、日本人でもコミュニティに溶け込むことはそう簡単ではありません。田舎暮らしで仲間外れになったり、転校生や途中入社組が馴染めなかったり、「公園デビュー」がうまくいかないなどという話を聞きます。「三代住まないと仲間とは認めない」と言われた地域もあったようです。

このようにグループの外の人を「敵」と見なし警戒する傾向があるのではないでしょうか。

シンガポールの故リー・クアンユー元首相は二〇〇〇年に書いた『目覚めよ日本　リー・クアンユー21の提言』で、日本人の性質を指摘しています。

私は日本に留学したシンガポールの多くの学生に、日本の印象について調査を依頼したことがあります。「学ぶことがたくさんあった」と答えた学生がほとんどでしたが、「日本が好きになったか」という問いに対してイエスと答えた学生はわずかしかいませんでした。さらに「日本が大好きになった」という学生はほんの一握りでした。とくにアジア人として、まともに歓迎してもらえなかったという意識があるのかもしれません。というのも、日本人はいつも色眼鏡を通してアジア人を見るからです。私はイギリスに四年いましたが、人種差別を受けたのは下層階級の人たちからでした。バスの車掌やウエイトレスらにはよく馬鹿にされたものです。でも、大学時代の恩師や学友は私に対してとても親切で対等につきあってくれました。（中略）いまは二〇〇〇年ですが、ある点において日本人はいまだに五〇年以上も前のイギリス人よりも排他的に思われます。

二十年経った今もあまり変わっていないと思います。そして、別に外国人に対してだけではなく、日本人同士でも同様です。

逆に、マレーシアでは、「初対面の人とすぐ友だちになれるお国柄」と言われます。先の駐在員を対象とした「住みやすさランキング」の調査でも、回答者の三分の二が

「新しい友だちを作るのは簡単」、七割以上が「社会生活に満足している」と答えています。スイスのある駐在員は、「素敵な人が住んでいる、とてもインターナショナルな街」と表現し、インドのある駐在員は「友だちを作るのは難しくない」と回答しています。

「経済的な豊かさと幸福度が結びつかない」というこの「謎の逆転現象」。

日本と東南アジアの人びととの思考の違いはなんなのだろう。このことを、私は初めてマレーシアに来たときからずっと考え続けています。

「子育てが損」はやっぱり変だと思う

日本人が新しい人間関係に慎重なのは、簡単に人を信用できないからではないでしょうか。社会心理学者の山岸俊男さんも、「安心社会から信頼社会へ――日本型システムの行方」で、アメリカ人との比較で「信頼のなさ」を指摘しています。

「たいていの人は信頼できると思いますか、それとも用心するにこしたことはないと思いますか」という質問に対する回答を比較してみると、アメリカ人の四七％が「たいていの人は信頼できる」と答えているのに対して、日本人回答者で「たいていの人は信頼できる」と答えているのは二六％にすぎません。

おそらく、「嫌な思いをした経験」や「他人から悪意を向けられた経験」と無関係ではないと思います。

ネットを見ていると、とくに子育て中の親は少数派なためか、子どもが「ちゃんとできない」ことが多いためか、ときに他人から悪意を向けられることが多いようです。

二〇二二年、バスにベビーカーを乗せた人が「邪魔だ」とベビーカーを蹴られ、ニュースになっていました。マレーシアの治安は日本より悪く、犯罪そのものは多いですが露骨に悪意を向けられる話は聞いたことがないです。

日本は「子育て罰」の国だと言う人もいます。

もともと日本の子育て層は、年金・社会保険料の負担が高齢者世代より高いうえ、子どもまで育てて国に貢献しているのに、児童手当や授業料無償などの恩恵を十分に受けることができていません。

子どもを産み育てるほどに生活が苦しくなっていく、子育てをしながら頑張って働いている中高所得層ほど追い詰められる、「子育て罰」の国なのです。

(SmartFLASH)

「子育て罰――子育てするとお金がかかるから損」

　本当にそうなのだろうか……。

　マレーシア人やフィリピン人に、日本で少子化が進んでいる理由を訊かれます。

「日本では子育てにお金がかかるから子どもを産めない」

と説明すると、

「日本人の方がマレーシア人よりお金持ちのはずなのに、それは変じゃない？」

と言われます。

　たしかに、保育や健康保険の制度にしても、子育てのさまざまな助成制度にしても、日本の方がマレーシアよりずっと整っています。彼らの疑問は当然と言えば当然なのです。

　発展途上国には、むしろ子どもを労働力として期待する国もありますが、日本はそこまで貧しくはありません。

　こう書くと、子どもを「ちゃんと」育てるにはお金がかかり、全然足りないと言われるかもしれません。この「ちゃんと」はおそらく「子どもの頃から塾通いをさせ、質の高い私立校で教育を受けさせ、いい大学、いい会社に行かせたい」という意味だと思いますが、マレーシアから見ても、日本の大学の学費がとくに高いとは言えず、なぜそんなに経済的に余裕がないのか理解されません。

「子育ては損だ」という考えの大本には、「子どもが社会から歓迎されていない実感」があるのではないでしょうか。そのため子どもを持った途端に行動範囲が狭まり、「親だけが犠牲になっている」ように感じる人が多いのかもしれません。

子育ての「ちゃんとして！」事情

マレーシアの友人宅のホームパーティーでのこと。子連れで日本に観光に行った友人に、「日本のお母さんたちはとても緊張している（Moms in tense）ように見えるけれど、あれはどうしてなの？　なぜあんなに申し訳なさそうにしているの」

「レストランに子連れで入ろうとしたら、『お子様はお断りです』と言われて驚いた。いったいどういうことなのか」と訊かれました。

マレーシアで「お子様お断り」レストランは、よほどの高級店かバーくらいなので、この方が驚くのも無理はないかもしれません。

そこで私はこう説明しました。

「日本の多くのレストランでは子どもを連れてくることが歓迎されない。保育園や幼稚園の建設にも近隣住民の反対運動が起きる。マレーシアのように赤ちゃんのいる母親がスポーツジムに通うなんて、なかなか考えられる社会環境にはない。『子どもが三歳になるまでは母親が家庭で子育てをした方がよい』と多くの日本人が考えているのよ」

「それでは子どもを持つのは大変だね」

とそこにいた友人たちが口々に言いました。

少子化は先進国の共通課題ですが、子育てをしている人たちが「少数派」であることが、ますます子育てがしにくい社会を作っていると私は考えています。


普段の生活で子どもを見る機会が少なくなると、子どもがいないことが当たり前になります。人びとは「子どもは公園で遊ぶな」「保育園がうるさい」「公共交通機関を使うな」などと文句を言ってしまう。そんな非難を何度も浴びせられると、子育て世代は、社会に自分たちが歓迎されてないと感じて緊張して生活します。

そういった世間の風当たりが子育てしている側の「損だ」という意識につながり、結果的にますます子どもを持つことがデメリットになってしまうという悪循環を招くと感じます。この悪循環が少子化が進む原因のひとつになっているのではないでしょうか。

また、日本の少子化に歯止めがかからないのは、子育て中の親が社会からたくさんのハードルを課されていることもあるでしょう。

「小さい子どもを連れて外食するのはけしからん」
「混雑している電車に子どもを連れて乗るな」
「赤ちゃんを飛行機に乗せる親は非常識」
「お弁当はこう作れ」
「毎日読み聞かせを」
「小さい頃から机に向かう習慣をつけろ」

などなど。中でも、「キレる中高年男性」としてネット上を大いに騒がせた「ポテサラ論争」は、SNSだけでなくテレビなどメディアをも巻き込んで大きな注目を集めました。スーパーの惣菜コーナーで小さい子どもを連れた見ず知らずの女性に「母親ならポテトサラダくらい作ったらどうだ」と言い放った人がいると言っても、マレーシアの人びとには信じてもらえないです。

外食文化が根付いているマレーシアには、料理をしない母親も大勢いるからです。マンションにキッチンが付いていないところもあるくらいです。

母親に対する視線が厳しいのは、おそらく明治時代に広まった「良妻賢母教育」が大きく影響していると思います。私は日本を離れて長いですが、共働き世帯が専業主婦世帯を上回っているいまでも、この良妻賢母像を母親に求めるような発言をする人たちが、まだまだ男女問わずたくさんいるようです。こうして、子育てをする「少数派」の人びとは、子育てをしていない「大多数」の人からだけでなく、メディアからも大きなプレッシャーを与えられ、批判にさらされます。そして、「少数派」である子育て世代はよりいっそう「ちゃんとしなきゃ」となって苦しむのです。

学校からはみ出してしまう子どもの増加

そして、子どもが小学校へ通うようになると、さらに厳しく「ちゃんとしなきゃ」の「圧力」が強くなります。学校生活では、

「姿勢はまっすぐ」
「のどが渇いても授業中に水を飲むのはダメ」
「授業中は足をぶらぶらさせない」
「習っていない漢字を書いてはダメ」
「休み時間は外で遊べ」

日本の公立小学校に長男を入れてみて、あまりのルールの多さに驚きました。自分の子ども時代よりいっそう厳しくなっているのです。

学習の面でもルールは細かいです。

ひらがな・漢字の「とめ・はね・はらい」が教科書体と同じようにできていることが、小学校一年生には必須なのです。他にもさまざまな厳しいルールがあり、子どもたちに「ちゃんとする練習」が求められました。

子どもの発達の段階は子によってさまざまです。中にはじっと座っていられず、足をブラブラさせてしまう子もいます。

しかし、学校が決めたルールを守れないからといって、このような子どもを「問題がある」と見なしてしまうと、子どもは「自分はダメなのだ」と思ってしまいます。また、親も「うちの子はどうしてみんなと同じようにできないの」と悩み、親子で追い詰められていきます。そして学校が抱える問題がどんどん増え、その対応に追われる先生たちも大変になってくるのです。

日本では、二〇二一年の時点で、不登校になっている小・中学生が約二十四万人いるそうです。少子化なのに、二十万人もの子どもを社会から弾いてしまうのはどうなのでしょうか。そして何らかの障害があると診断され、特別支援教室や特別支援学校に行く子どもたちの数が増えています。

元学校教諭で、東京やマレーシア、シンガポールの日本人学校などで、三十年以上特別支援教育に深く関わってきた三好健夫さんは、特別支援教室や支援学校に通う児童・生徒が増えている原因のひとつに、「社会にゆとりがなくなっている」ことを挙げています。

「地域や大人に余裕がない。したがって、学校に求められるものが多くなり、結果、学校にも余裕がない。なんとかクラスをまとめようと決まりを作る。『手を膝の上に置いて前を向く』『机の中やロッカーは、このように整理する』『みんなと同じペースで行動する』などなど。これらの細かい決まりを守れない子は、『困った子』と判断されてしまいがちです。多様性とは全く逆の方向です。

二〇二二年十二月、文科省から『通常学級に在籍する小中学生の8・8％に、学習面や行動面で著しい困難を示す発達障害の可能性がある』と発表されました。以前の数字と単純に比較はできませんが、発達障害への大人側の認知が進んだと捉えることができるでしょう。しかし、このことが、単純に支援学級、支援学校と振り分けられる理由にならないことを願うばかりです」

と話しています。

「ちゃんとすること」ができる子には日本の学校の環境は理想的かもしれませんが、子どもは千差万別。「ちゃんとする」ことができない子もいます。そういった子どもには毎日学校に通うことが苦痛の連続なのです。

日本の学校では、子どもだけでなく、親も「ちゃんとしなきゃ」の厳しいルールを求められます。

「忘れ物がないよう必ず持ち物をチェック」
「学期ごとに雑巾を縫って持たせる」
「毎日宿題や連絡帳を確認してハンコを押す」
「PTAは絶対に加入。委員や係を必ずやる」

課されるルールが多いため、チェックする学校の先生の負担も大きくなっていくのです。

「他人やシステムに期待する」という教育

校長として東京・千代田区立麹町中学校を大胆に改革し、大きな話題を集めた工藤勇一先生は、「受験を経てきた子どもたち」の心の問題についてこう語っています。

日本の教育は常に与え続けられていく教育形態です。親や先生に面倒を見られていくという形。人はサービスを与え続けられていくと、次第に与えられることに慣れていきます。そして、サービスに不満を言うようになります。しかし、結局は不満を言いながらも与えてもらうことをやめられない。これは日本の教育の最大の問題点であり、教育者も含めてその重要さに気づいていません。

（中略）

麹町中学校は教育熱心な保護者の下で挫折を経験した子どもたちが入学してきます。親に批判され、先生に批判され、やたら勉強時間が長く、そこから落ちこぼれていった子どもたちです。

（中略）

具体的には「勉強しなさい」と言う仕組みをゼロにするところから始めます。宿題をなくす、テストをなくすなど。そして次に、主体性を失って依存心だらけで批判的に育っているから、大人を信頼しないという特性も何とかしなければならない。

いかがでしょうか。私はこの話をうかがって、思い当たるところがたくさんありました。

日本はシステムがかなり整った国です。電車は時間通りに来ますし、コンビニは二十四時間開いており、どんな田舎のコンビニに行っても応対はマニュアル通りで丁寧です。道路は整備され、信号やエスカレーターが故障したまま放置されていることもありません。官公庁の仕事も分かりやすいです。

こういう国で育つと、人は「予定通りに進むのが当たり前」「壊れていないのが当然」と思うようになり、少しでも自分の期待にそわないことが起こると、たちまち文句を言い、怒り出す人がいます。「自分はこんなにがんばっているのだから、あなたもがんばるべき」と相手にも同じように厳しい要求を突きつけるのです。

「ちゃんとした」人びとが「多数派」として構成される日本社会では、子育てをしている「少数派」にとっては、同調圧力が辛くて息苦しくなってしまいます。他人に対して厳しくなると、それだけ期待値が高くなるのです。そして、社会から脱落する人が増えていきます。

「ズルい」という感情はなぜ起きるのか？

他者に厳しい思考になると、どういうことが起きるのでしょう。たとえば、不登校になってしまった子や生活保護を受給している人に対して、「甘えている」とか「ズルい」と言い出す人が出てきます。

「私はこんなに我慢して働いているのに、働かないで楽をして生きるなんて許せない」

「ズルい」という言葉には多くの問題を含んでいます。

日本では昔から、家でも学校でも職場でも「我慢すること」や「がんばること」はいいことだと教えられてきました。子どもの頃から刷り込まれてきたこの教えによって、他人に対して寛容になれず、「ズルい！」という発想になってしまうのではないでしょうか。

「ずるい」を辞書で引くとこうあります。

「自分の利益のために、ごまかしてうまく立ち回る性質である。狡猾(こうかつ)だ。こすい」

（三省堂『大辞林』より）

整いすぎて、「与えられること」に慣れきってしまうために他人ばかりが気になるのではないでしょうか。

「ちゃんとした教育」をしっかり受けた結果、

真面目でリスクばかり考える
行動できない
行動しないから暇
暇だから他人が気になってしまう
他人に「自分の価値観」でアドバイス

となり、社会に出てからも他人との比較がやめられなくなっていきます。

また、男女、世代間、既婚と未婚、フリーランスと会社員、専業主婦と兼業主婦など、ありとあらゆることに分断があるのも日本の特徴です。どこにも競争と対抗意識があり、気が抜けない感じがします。


細かい「序列競争」は、子ども時代から始まります。

日本からマレーシアに来たお子さんが、「私立中学を受験する子が、公立中学に行く子を『負け組』と言って差別する」と言っていましたが、何にでもヒエラルキー（序列）を付けたらしんどいだろうと思いました。そして不登校の生徒が小さくなっています。学校に毎日行っている生徒が「偉くて」、行っていない生徒は「偉くない」——そんなふうに考える人が少なくないのです。

「学校の序列」は「偏差値」で格付けされますし、「塾の序列」は、御三家と呼ばれる難関中学や東大などの「合格者数」で格付けされます。

けれども「SAPIXに入って御三家を目指す」とか「鉄緑会に入って東大に合格する」といった受験戦争も、実際には御三家や東大にすんなり入れる子どもはそんなにたくさんはいないわけで、結局ほとんどの受験生が「負け組」になるのです。

子ども時代でも大人になってからも、一見とても平等な社会なのに、こうした「謎のパラドックス（逆説）」が起こるのが日本という国なのです。

この「嫉妬」と「羨ましい」という感情は表裏一体。しかし、他人への「嫉妬」や「羨望」をこじらせると、心が病んでしまいます。他人を気にしすぎることで生じる負の感情は、人間や社会の成長を妨げる大きな要因に見えます。

こうした分断はマレーシアではあまり見かけません。ですから、こういった日本的な「序列」の感覚を、外国人に説明するのはなかなか難しいのです。

マレーシアには、マレー系など先住民を経済的に優遇する「ブミプトラ政策」があり、決して平等な社会ではないので不満を耳にすることもあります。それでも幸福度は階層による有意差がなく、「親ガチャ」（生まれてくる子どもは親を選べない）のような、「自分は不幸で、それは誰かのせいである」という発想をあまり聞きません。「羨望は罪である」という伝統的な宗教の教えや、民族分断による暴動の警戒もあると思います。また、職場や学校が合わなければ辞めてしまう人が多いですし、そもそも「幸福」なので、自分のことに忙しく、そんなに他人を意識して生きていないと感じます。

マレーシアの教育世界にはそもそも「偏差値」がありません。公立学校には言語別（マレー語、中国語、タミル語）に学校があり、学ぶ科目も異なるため、学校同士をシンプルに優劣で比べることが難しいのです。華人学校とイスラム系の学校、欧米のインターナショナル・スクールなど、まったく違うものを比べることには意味がないのです。

マレーシアでは「不登校」という言葉自体が存在しないので（ホームスクーラーとして政府に認められるため）、それを聞いてマイナスのイメージを持たれることはありません。

「必要以上に比べない」

「他人を意識しない」

これこそが東南アジアに住む人びとの「明るさ」と「幸福感」につながっているかもしれません。

親が人生を楽しむ

マレーシアに来るとまず家族連れが多いことに気づきます。一九九〇年代、三人の幼児のいる家族と一緒に旅行したのですが、どこに行っても子どもが歓迎され、可愛がられることが不思議でした。

私自身も、幼児連れで何度かマレーシアに来ましたが、中学生の男の子たちや、マンションのセキュリティ・ガードの人たち、お店の店員さんが子どもと遊んでくれました。

現地メディアの取材旅行に子連れで来る家族がいますが、その子はいつも親ではない誰かに抱っこされています。それも男性が楽しそうに面倒を見ていることが非常に多いです。社交辞令ではなく、歓迎されている感じがあります。

親がリラックスしていると、子どもも落ち着きます。

繰り返しになりますが、日本の方が国の補助や制度はずっと整っているのです。しかし、社会の包容力が違うので、非常に楽に感じるのかもしれないなと思いました。

「正しさ競争をしているわけではない」世界で、「ちゃんとしない人（＝子ども）も受け入れてもらえる感じ」が気楽なのです。

何より良いなと思うのは、ここには、「人生を楽しもう」という親が多いことです。小学校の行事では、子どもより親の方が楽しそうでした。

「親が楽しまなくてどうする」

このセリフを、何度言われたでしょうか。

私は十年近く、近所のスポーツジムに通っていますが、赤ちゃんを預けて来る親がいます。

一九九〇年代半ばに子ども三人を預けて夫婦で東京に遊びに来たマレーシア人夫婦と会いましたが、マレーシアに来て、それが決して珍しいことではないと知りました。もちろん、内心、それをよく思わない人びとも中にはいるでしょうが、必要以上に他人に口を出しません。宗教も習慣も違う人びとが住んでいるので、他人を簡単にジャッジできず、「mind your own business（自分のことに集中せよ）」と言われます。

一方で、日本から来る方には、日本に比べてマレーシアは「ちゃんとしてない」と言われることもあります。「ちゃんとしてない」のは人びとだけでなく、社会全般にも及びます。

もちろん人によって、受け取り方は異なるでしょうが、少しご紹介します。

移住先として人気のあるマレーシアですが、サービスが整っている日本から来ると、実に多くの人が驚きます。断水や停電、家の水漏れもわりとよくあります。日本人移住者たちからよく聞く不満は、「マレーシアの人はちゃんとしてない」「常識が備わっていない」「日本ではこんなこと起きないのに」です。

役所も「ちゃんとして」なかったりします。役所での手続きは対応する担当者によって異なることも普通ですし、職員が書類を無くしてしまうことも起きます。ミスをしても日本のように責任を追及して謝りに来てはくれません。淡々と、「まあ、間違いはお互いあるよね。じゃあ」でおしまいになることが多いのです。

マレーシアの税務署に申告に行ったときのこと。

提出日ギリギリになって、慌てて近くの税務署に駆け込みました。日本と同じく、自分で入力するシステムですが、パソコンで入力を始めたら、途中からどうしても先に進まないのです。

係の人に聞いたら「システムトラブル中」とのこと。周りを見たら、画面の前で、じーっと待っている人がいっぱいいます。「トラブル中」などといった張り紙もなく、みな淡々と復旧を待っているのです。

職員たちものんびりしています。「いつ直るんだ!」「どうなっているんだ!」と怒鳴ったり、文句を言ったりする人がいないので、緊迫感がまるでなく、トラブルが起きていることすら気がつきませんでした。

「午後には直っているかもしれません」と言うので、一旦家に帰り、出直してみたものの復旧していません。諦めて帰ろうと思ったら、大雨が降り出しました。やむまで雨宿りです。マレーシアでは大雨で足止めを食らうこともよくあります。税務署内のカフェには、私のように雨が上がるのをのんびり待つ人が大勢いました。しばらくすると雨がやんだので、ダメ元でもう一回会場に行ってみたところ、なんとシステムが直っていました。無事、係の人に入力を教えてもらいながら提出して帰宅しました。

ここに住む人びとは、道路の穴は注意して避け、エスカレーターが止まっていれば歩き、信号が壊れていれば、道を譲り合いながら運転します。電車が遅れても文句を言っている人を見たことがありません。人びとは静かに待っています。システムに頼りすぎず、他人に期待しすぎず、自分の責任で行動するようになります。

消費税もスピーディーに廃止される国

マレーシアの社会は、一見不便そうに思えるかもしれません。しかし、意外にも人によっては快適に生活できてしまいます。

銀行や役所から書類が郵送されてくることはめったになく、FAXはほぼ死滅。だいたいの用事はオンラインで完結し、銀行のATMは三六五日二十四時間利用できます。快適な生活に欠かせないのは、マレーシア発の企業Grab（グラブ）のアプリ。いまやGrabは東南アジアでの生活に欠かせないサービス。配車サービスはあっというまに広まり、タクシーにかわる足となりました。Grabは配車だけでなく、スーパーの買い物からレストランのデリバリーまで対応し、ブロッコリーひとつでも三十分もあれば配送してもらえます。

便利でスピーディーなのはこれだけではありません。

二〇一八年の選挙の争点のひとつは、「消費税の廃止」でした。「消費税を廃止することなんて、本当に可能なのだろうか」と思っていたら、マハティール元首相が政権復帰し、一カ月も経たないうちに消費税が〇%になりました。それでも国民が戸惑ったり、パニックになったりという事態にはなりませんでした。

そしてパンデミックが始まった二〇二〇年。

最初のロックダウンからほどなくして四月には、マレーシア政府は、感染者追跡アプリ「My Sejahtera」（マイセジャテラ）を開発しました。しかもこのアプリには、その後もワクチン接種証明、自主検査キットの購入、自分の身近（半径一キロ以内）に患者がいるかいないか、接触情報、ワクチン接種の申し込み・ワクチン証明のPDF印刷というふうにどんどん機能が追加され、かなり便利になりました。

さらに驚いたのがワクチン接種のスピードです。

マレーシア政府は二〇二一年七月、年末までに全成人への新型コロナワクチン接種完了を目指すと宣言しました。そして二カ月後の九月二十四日には、人口の八二・五％がワクチン接種を完了させたのです。政府のこのスピードについていくのはさすがに国民側も大変でした。連絡が突然くるのです。

私の場合、二回目の接種は「今日の午後二時に所定の場所に来るように」という連絡が当日の朝、「My Sejahtera」を通じて来ました。私は普段からスマホを見る習慣がなく、そのメッセージをうっかり見落としてしまいました。

「こんなに急だとついていけないですよ」

Grab のシェアライドのドライバーさんに愚痴ると、

「政府のスピードを甘く見てはいけないよ。みんな三時間ごとに My Sejahtera をチェックしているよ。朝チェック、昼にチェック、三時にまたチェック！　マレーシアではこれ常識。もうみんなワクチン接種は終わっているから、ワクチンセンターはどんどん閉鎖されているよ」

「そ、そっか……そうだったのか」

となりました。この国ではスマホを持たずにいると世の中からどんどん置いていかれます。先ほどの感染管理アプリはその一つで、アプリをスマホに入れていないと建物の中に入りにくく、どこに行くにも不便だった時期がありました。

コロナ対策だけでなく、たとえば公営駐車場のチケット券売機を次々と撤廃し、アプリで支払う方式に変えてしまうなど、政府主導でさまざまな対策が取られています。

交通違反の罰金もアプリで払うようになり、「この国のスピードを舐めてはいけない」とマレーシア人に言われたことがありました。そういう意味では、日本は、インターネットやパソコン、スマホなどのＩＴを普段からあまり使っていないような高齢者にはとても優しい社会だと言えるのです。

細かいことは気にしない

マレーシアでは、国民の休日ですらいきなり決まります。

二〇二一年十二月には、「サッカーのマレーシアカップでクアラルンプール・シティＦＣが三十二年ぶりに優勝した」というだけの理由で「翌日が休日」になりました。「今日はヘイズ（煙害）がひどいので、明日は休みです」と学校から前日の夕方に連絡が来たこともありました。

では、日本で急に休日が決まったとしたら、いったいどうなるでしょうか。

「学校が休み？　じゃあ遅れた授業はどうするんですか？」

「電車の発着時刻はどうなるんですか？」

「仕事が終わらないので出勤したら休日手当は出るのですか？」

「派遣やパートで働いている人たちは大打撃です」


そんなふうに訊いてくる人がたくさんいそうです（というか、私が言いそうです）。

すると、細かい質問に答えるための人員が必要になり、マニュアルが作られ、ＦＡＱ（Frequently Asked Questions の略語。「よくある質問」のこと）が作られ……と延々に仕事が増えていくでしょう。国会で質問が出て大騒ぎになるかもしれませんし、メディアからは厳しく問題点を追及されるかもしれません。


おそらく、小学校の段階から、ガッチリと決まったシステムの中で生きているので、誰かが決めたことに対し、そこから外れたら質問したり文句を言ったりする癖がついているのです。

反対に、マレーシアの人たちは、細かいことはほとんど気にせず、テキトーに現場で調整しようとします。最初に息子が通った学校では、運動会のような年間で予定されている行事が延期になることがよくありました。コロナ禍の日本のように、突然の中止や延期という事態が日常的に起きるのがマレーシアなのです。

以前インド系の友人に、

「日本人はなんで予定を変えるだけで怒るの？　予定は予定じゃない？　変えてもいいものだよね？」

と訊かれたことがあります。「予定は未定、頻繁に変わるもの」というわけです。

私もマレーシアにいると、「まあ適当にやっておけば問題ないよね」となります。「まあいっかー」と割り切って考えていかないとストレスが溜まってしまうのです。

作り笑顔を見なくていい世界

マレーシアの生活において気楽なことのひとつは、「無理に笑っている人を見なくてすむ」ということです。

マレーシアの友だちを日本に連れていくと、庶民的な店でも笑顔で「いらっしゃいませー」と愛想の良い店員さんを見て、感動したと言ってくれます。が、私は内心「このハイテンションで、スタッフのみなさんは疲れないのかな。大変そうだな」と思ってしまいます。

マレーシアの「真顔な店員さん」に慣れてしまうと、日本の店員さんの笑顔に違和感を覚えてしまうのです。

日本では幼い頃から、

「姿勢をきちんと！」

「給食は黙って！」

「ちゃんと宿題やって！」

と学校だけでなく、家でも職場でも「ちゃんと」や「きちんと」「笑顔で」を求められます。ハマらなければならない「型」が多すぎて、かなりがんばらないと社会人になれそうもありません。人間の良い面しか見せないところが怖いのです。

「いつもニコニコしていい子だね」

と日本では大人が子どもによく言ったりしますが、人間には笑いたくない日もあります。

「別に面白くないし、無理して笑わなくて良くない？」

こんな感じでもいいと思うのです。


マレーシアでサービスを提供する側で働いていると、「ちゃんとすること」や「完璧」を求めるお客さんが少なく、誰からも怒られないので気持ちを楽にして働くことができます。

私自身、営業の電話をかけたり、何万人もが集まる旅行の展示会でチラシを配ったりする仕事もしていましたが、たどたどしい英語で話しかけても、嫌な顔もせず相手になってくれるお客さんばかりでした。怒鳴られたり、意地悪な質問をされたりした経験はゼロで、まるで友だちのように接してくれるのです（販売していた製品の性質について長時間説明させられることはありましたが）。出張で日本からマレーシアに来たビジネスマンたちは、

「チラシを渡したら『サンキュー』と言われたよ！」

などと感激して帰っていきます。

また、コミュニケーションの取り方ひとつでも、WhatsApp（ワッツアップ。ＬＩＮＥのようなチャットアプリ）を利用すれば簡単に物事が進みます。

以前、ネットで探したエアコンのクリーニング業者に依頼したときのこと。前置きの挨拶も何もなく、いきなりチャットです。

「When u want ?」（いつがいい）

「tomorrow」（明日）

「ＯＫ」

「Thanks」

「😃」

「会ったこともない人に絵文字なんて送って気を悪くするかも」

「『了解しました』だと失礼と取られるかも」

そんなことを気にする人はマレーシアには少ないのでしょう。絵文字も使うフレンドリーさで、顧客だからと威張るような上下関係もありません。大家さん、ガス屋さん、水道工事の人やレストラン、ホテルの予約もすべてこの調子です。Grab タクシーの運転手さんたちとは一期一会の関係ですが、彼らは遠慮せずガンガン電話してきますし、返事は「ＯＫ」で済んでしまいます。


こんな気楽な世界にすっかり慣れてしまうと、逆に、日本企業のカスタマーセンターに電話をするときの、あまりのまどろっこしさに少しイライラしてしまいます。長い保留音の後に、「まずはお客様、いつもご利用いただき誠にありがとうございます。私は本日担当させていただきます△△と申します。このお客様との通話は記録のために録音させていただきます……」と前置きが延々と続くので「細かいことはいいから、早く要件に入ってほしい」と思ってしまうのです。

もちろん完璧主義も悪いところばかりではないです。良いところと悪いところは常に表裏一体。海外から日本に来た観光客が「日本のサービスは素晴らしい」と絶賛するのは、「日本ならではの完璧なサービス」があるからだと思います。世界には完璧を目指す人ばかりではないので、「ここまでこだわるのか！」と多くの外国人が感激するのも事実です（中には「こだわりすぎでサービスが悪い」と言う人もいるにはいますが）。

とくにサービス業では、完璧主義は歓迎されます。完璧主義の配管工やメイドさんはどんなに喜ばれるでしょう。

完璧主義と相性の良い「ちゃんとした」世界で生きていくのか、そんなに「ちゃんとして」なくてもいいという世界スタンダードに近い八〇％主義でいくのか。

私は「八〇％」で十分満足。「リラックスしてみんなハッピー」というマレーシアスタイルが気に入っています。

ルワンダ人が言う「スローーリー、スローーリー、ラーーニング」

日本では、居丈高（いたけだか）にスタッフを呼びつけたり、上下関係があからさまにわかるような態度を取ったりする人をよく見ます。

しかしこういったパワハラやマウントを取るような言動はたちまち嫌われてしまうのがマレーシア、東南アジアなのです。クレームを言ったら、担当者が菓子折り持って謝りにくる日本とは大きく違うのです。

日本から来る人は、どうしても最初は、

「日本の品質を教えてあげたい」

「ちゃんとした日本式をマレーシアに広めたい」

となります。この気持ちは私も理解できます。しかし、これがうまく行っている例を見ることは稀です。「郷に入っては郷に従う」で、「マレーシアにはマレーシアのやり方で」なのです。


『ルワンダでタイ料理屋をひらく』の著者、唐渡千紗さんは、アフリカのルワンダでタイ料理店を立ち上げた当初、日本との文化の違いに戸惑い、怒り狂いながらも店を営んでいました。


日本だったら絶対にそんなことは起きない……が、いやいや、待て待て。日本のことは一旦忘れよう。日本の常識も、コンビニ店員の神対応も、一旦全て忘れ去るのだ。

ここは日本ではないのだ。

それにしても、自分に染みついた常識を忘れることが、これほどまでに難しいとは。

ところが、レストランのスタッフたちの育った背景をだんだん知るにつれ、「本当に自分が正しいのか」分からなくなっていくのです。ルワンダには過去のルワンダ虐殺の影響で孤児になっている人もいます。そのために教育を受けていない人が多くいます。とくに印象的なのが、四歳から孤児として育ったスタッフの言葉でした。

「スローリー、スローリー、ラーニング」。この言葉が、こんな背景、こんな生い立ち、こんな人生観から紡ぎ出されているなんて、全く知らなかったし、知ろうともしなかった。

マレーシアでも、サービスがいまひとつだったときに、地元の人からよく聞くのは、

「高級店ではない」
「給料が安いのだから、無愛想でもしょうがない」
「スタッフは、移民かもしれないし、難民かもしれない」
「教育をどの程度受けているかわからない」

という声です。実際に、レストランや警備員として働いている人が、パキスタンやミャンマーなど周辺国出身の移民であることは多いです。難民かもしれないし、いまも戦争中の国の出身という人もいます。こうして、相手の背景に対して想像力が広がると、「常識」「礼儀」を押し付ける自分自身の暴力性に気づかされるのです。

「スローリー、スローリー、ラーニング」

この言葉の意味を、日々の生活の中に役立てることはとても大切。これも異国で生きる醍醐味（だいごみ）なのです。

第2章

「まあいっかの働き方」がビジネスを変える

戦後「安かろう、悪かろう」などと呼ばれた日本製品。

かつてはドイツのコピー製品からスタートしたカメラなどが「粗悪品」とされていたところからどんどん精度を上げていき、いつのまにか「緻密さ」「完璧さ」が売りになりました。

一時は日本発の技術が世界のエレクトロニクスの先端で、光ディスクやメモリーカードなどの規格の多くは日本から生まれました。

マレーシアやシンガポールなどのアジアの国々は日本の近代化から学ぼうとしました。

マレーシアが「ルックイースト政策」を開始したのが一九八一年。シンガポールのリー・クアンユー元首相も「日本人が一丸となって懸命に働く姿は、自在に動く手の指のように見え、とても驚きました」と『目覚めよ日本』に書いています。

当時の日本は東南アジアのお手本だったのです。

私は九〇年代にパソコン雑誌で、世界の最先端技術を取材していましたが、国内の取材だけで多くのデジタル周辺機器の最新情報がわかる時代でした。

日本メーカーが見誤った「過剰品質の罠」

明らかに潮目が変わったのは、二〇〇〇年代の中頃です。技術開発が進んで、製品の部品の数がどんどん減っていきました。家電メーカー以外でも、精密機械が作れるようになり、時代はソフトウェアに移ります。

アメリカの家電ショーに行ったら、サムスンとLGの広告が目立つようになっていました。日本のある家電メーカーの方が、

「うちはどんなにがんばっても、韓国メーカーには勝てない」

と嘆いていました。

その理由のひとつが、「日本人の完璧を求める性格にある」と聞きました。

「日本のお客さんは細かい仕様にこだわる。細部に対しても、クレームを言ってくるので、完璧な製品を出さないとならない」と言うのです。

「完璧なこと」が裏目に出る場合があるのだとこの時期初めて知ったのです。

最近よく言われるのが、「過剰品質の罠(わな)」です。

日本からマレーシアに来た人は、たいてい「マレーシアの製品の品質が低いので、日本の品質の良さを教えてあげたい」「良いものなら受け入れられるはず」と言われるのです

が、実はこれが自分たちの足を引っ張る元凶になっているケースがあります。そこまで高い品質のものは世界では売れないからです。

二〇二一年に「日経ものづくり」が企業に向けて実施したアンケートでは、「顧客が求める品質を維持するのが、難しくなっていると感じるか」への回答が、「強く感じている」「やや感じている」と合わせて75・9%もありました。顧客からの過剰な要求品質に悩む現場の声を表しています。かつてデンソーにいた竹村孝宏氏はこう語っています。

日本全体で高品質を求める気質はあるでしょう。例えば、日本の自動車業界では世の中にある最高品質の製品を「ベンチマーク」とし、それを超える製品の開発を目指す文化が定着しています。結果的に素晴らしい機能や耐久性を持つ製品が日本から生まれました。ただ一方で、消費者が必要とする品質を超えた高価な製品も数多くあります。それでは安価な製品が多い海外市場で太刀打ちできないのです。

（「完璧主義」が招く日本の過剰品質）

第一章で触れた「ちゃんとしなくてはという価値観」がビジネスの世界にも隠れていると感じます。

マレーシアや中国などの製造業の現場でよく聞くトラブルのひとつに「歩留まり」の問題があります。

「歩留まり」とは、投入した原料や素材の量に対して、実際に得られた出来高の割合を指す製造業特有の言葉のひとつです。何かを作るときには不良品が発生するものです。こうした不良品はロスになるので、当然出来高の比率が下がってしまう。その比率を表すのが「歩留まり」です。

国民の多くが「ちゃんとした」「完璧な」製品を求めると、世界に向けた製造業としてはどうしても「歩留まり」が悪くなってしまうのです。

一方、海外の顧客はそこまで完璧な品質にはこだわらないようです。

韓国メーカーは国内の人口が日本の約半分、国内市場を無視して、最初から世界市場を狙いました。世界市場のお客さんは、日本市場のお客さんほど完璧さにこだわらないため、ある程度同じ仕様の製品を一斉に出せますし、細かい粗も指摘されません。それによって大きなロットで作ることができ「歩留まり」も悪くないというわけです。

日本のメーカーにとっては国内市場が一億人以上と大きいので無視できません。日本市場向けに細かくチューニングした製品は、海外向けにするとコストが高くなって売れないため、海外向けと日本向けの両方の製品を作らないといけない。これでは世界の競争には勝てないのです。

海外で聞く「日本企業からの要求の厳しさ」

工場を取材してよく聞くのが、「日本企業からの要求はあまりにも厳しすぎる」「製品に少しでもズレやムラがあるとやり直しを要求される」という話です。すると、製品として使えるものの比率、つまり「歩留まり」が下がるため、製品コストが上がってしまいます。

忘れてはいけないのは、「世界の工場」であるアジアの国々に原材料や製品を発注している国は「日本だけではない」ということです。工場側は、

「あなたのところは、ロット数が少なく納期も厳しい。他の国のみなさんは、そんな細かいことを気にしないので、気に入らないならどうぞ他へ行ってください」

と強気だったりします。

大口の顧客を前にして、品質にうるさい日本のような小口の顧客は切られてしまいます。日本にいると実感しにくいのですが、マレーシアでは「クレームが多く、発注が安定しない客」は、どんどん切られます。「うるさいお客さん」に構っている暇はないのです。

「値段が高くて高品質なものよりも、ある程度動けば安いものでも良い」と考える人が多いので、「完璧」を目指す日本メーカーの影が薄くなってしまいました。そもそもの値段が高く、輸送費や関税もかかる日本製品の場が、どんどん縮小されているようです。

しかし、世界のマーケットが求めるものと逆行するように、日本は「高級路線」に突っ走っていきました。シャープが「亀山モデル」という大型液晶テレビを生産したのが良い例でしょう。

ところがこの「亀山モデル」は、過剰投資と価格競争で苦戦しました。「技術的に優れた製品を出しさえすれば、市場を取れる」という思い込みは、通用しなかったのです。

また、コンテナの発明により、製造業のルールも大きく変わってしまいました。

パンデミックの当初、海外からの日本へのコンテナ船の料金が上がったことがよく知られています。その結果、日本の港は「抜港（ばっこう）」、つまり「日本には行きたくない」と海外の企業から避けられてしまったのです。

比較的規模の小さい日本の港は、巨大港を抱えるマレーシア（クラン）や韓国（釜山）などとは条件そのものがそもそも違うのです。

「運賃水準が同じならトランシップでコストがかかる分、日本出しの優先度は下がる。

儲かっているなかで魅力のあるマーケットではない」

「アジア航路の中では北東の端に位置する分、日本を外すことによるスケジュール管理上のメリットが大きい。顕著に日本だけが抜港されるわけではないが、それでも影響を受けやすい傾向はある」

と船会社関係者は話す。

（物流総合新聞「デイリーカーゴ」）

日本は二〇二一年の末には、すべての外国人の入国を禁止し、事実上「鎖国」状態になり、輸出入で日本に出入りする人たちは大きな打撃を受けました。当然、輸出のコストも上がり、海外で農産物や製品が売りにくくなったのです。マレーシアの知り合いの店でも、農産物などの販売予定が抜港により大幅に遅れたこともありました。

今では製造業も「サプライチェーン」（供給連鎖。商品・製品の原材料・部品の調達から消費者に届くまでの一連の流れ）で作るのが当たり前の時代。マラッカ海峡というアジアの物流の中心にあるマレーシアならともかく、アジアの隅っこにある日本が「うるさいお客さん」になることにはなんの国益もない――これが世界で日本製品が売られている現場での私の実感です。

うるさい客は相手にされない

製造業だけでなく、サービス業でも日本では「完璧」であることが求められます。

マレーシアにある日本人向けのコールセンターで働く人からは、日本人相手のクレーム対応はとくに大変だと聞きます。言葉遣いや発音が少し違っただけで、「お前は外国人だろう」と不愉快そうに言われたり、「話が違う」「誠意がない」「常識がない」と言われ揉めたりすることがあるそうです。

あるマレーシアの不動産業者は、「仲介しただけなのに日常の細々としたことまでなんでもサービスで教えて！」とやって来る日本人の顧客が多いと言っています。

契約外の業務について「お金を払っているのだから、ついでにやってよ」「客なんだから、タダでこれもつけて」などと当然のように要求してくるのだそうです。

日系のレストランの中にも、「日本人よりローカルの人をターゲットにした方が商売がやりやすいから」と日本語の看板やメニューを置くのをやめてしまう店もあります。ある高級レストランから、「うちは日本人のお客さんはもう受け入れないので、日本語媒体への掲載はしたくない」と言われたこともありました。

マレーシアでは、学校や医療の現場でも、クレームの多いお客さんを「平気で切り」ま

す。ある学校に取材すると、

「事務局スタッフに尊厳を持って接しない保護者には学校を辞めてもらう」

と言い、ある病院には、

「当院では、スタッフへのリスペクトのない態度についてゼロ・トーラレンス（絶対に容認しません）です」

という張り紙がされていました。要するに、「従業員への失礼な態度は絶対に許さない」ということです。「俺は患者だぞ！」とばかりに威張ったり、細かいクレームをつけたりする人はマレーシアでもゼロではないのですが、「面倒くさい患者だ」となり、相手にしてくれなくなるのです。お客とサービス提供側は対等なのです。

サービスは払った値段なり

第一章にも書いたとおり、日本の店員さんはお客さんがいないときでもピシッと姿勢良く立っています。笑顔で「いらっしゃいませ！」と言ってくれます。マレーシアでも、日系のラーメン屋さんなどに行くと、日本風に「らっしゃいませ！」と全員が気持ちよく挨拶してくれます。

ですから、日本に来てコンビニエンスストアやレストランでの接客を見て、「日本のサ

ービスは素晴らしい」と感激、絶賛する人が少なくありません。お客さんにとっては驚き

なのです。一方で、働く側の日本人の立場に立つと、安い給与なのに釣り合わない面は否めません。

マレーシアの一般企業（日本以外の外資系企業含む）では、そんなサービスはほぼ高級店のみです。「サービスというのは、払ったお金に比例するのが当たり前」と考えられているので、賃金以上の過剰なサービスはしないのです。

それどころか、驚くようなことも起きます。

ある日、友人がケンタッキーフライドチキンに入ったところ、「今日はチキンがないんです」と言われました。「フライドチキン屋にチキンがないなんてありえない」と。まるでコントです。もし日本だったら、店員さんが平謝りするか、張り紙でも出してお店を閉めているかもしれません。それでもお店の人は謝るわけでもなく、淡々と仕事をしているのを見て、さらに衝撃を受ける日本人は少なくありません。

庶民向けの食堂に入れば、店員さん同士でおしゃべりしています。インド系の人の経営する安食堂では店員さんの方が「ボス」と呼ばれて威厳があるほどです。コンビニでは、店員さんがスマホで動画を見ていたりします。お客さんが来るとレジに立って、終わったらまたスマホに目を落とします。前に並んでいるお客さんとのおしゃべりが始まったり、

レジの調子がおかしかったりで、しばらく待たされることもあります。

善し悪しはともかく、「払った値段なり」なのです。

「ちゃんとしている」の「ちゃんと」はみんな違う

一方で、マレーシアに来る日本人が口々に言うのは、

「マレーシアの人はちゃんとしていない」

「常識がない」

つまり、

「こんなことくらい言われなくても、ちゃんとやって当たり前だろう」

という考えです。こういう考え方は、異文化コミュニケーションでは通じません。

元ソニーの設計者、小田淳さんは、著書『中国工場トラブル回避術　原因の9割は日本人』で、日本人の独特なコミュニケーション方法が、トラブルの障壁になっていると指摘しています。


中国の部品メーカーに部品や製品の製造を依頼し、仕事上のトラブルや不良品を発生させてしまう日本の設計者は、皆さん同じことを言います。「普通〜のハズ」「〜と言

ったハズ」「〜のハズじゃない」と。しかしトラブルの本当の原因は依頼先である中国のメーカーではなく、中国に理解のない日本の設計者にあることが私の経験では少なくありません。

以前、東南アジアで日本観光のPRの仕事をしていたときのことです。よくあるトラブルのひとつが、「期待していたことによる揉めごと」でした。日本側がマレーシア側に何かを依頼する際に、「これもやってくれると思っていた」というものです。「そんなの当然のサービスでしょ」と期待し、「言わなくてもわかるでしょう」というわけです。とくに難しいのが「ちゃんとする」「しっかりやる」「きちんとする」「常識の範囲で」のような曖昧な言葉です。

マレーシアでは契約書に書いていないことは、基本的に「やらなくても良いこと」になっています。後から「やっぱりついでにこれもやってほしい」などとお願いして、追加料金を請求され、驚く日本人ビジネスマンもいまだに多くいます。

契約書ベースvs.調整型の仕事

日本社会の特徴は「暗黙の了解」が多いこと。

とくに「ざっくり見積もってほしい」「諸々よろしく」のような曖昧な指示は海外では通じません。ぼんやりした指示で物事が進められ、細かいことは後から詰めていくので、結局時間がかかってしまうのです。だからよく聞く日系企業への主な不満は「意思決定が遅すぎること」なのです。

マレーシアではある程度意思決定できる人が打ち合わせに出てくることが多く、初回の打ち合わせで合意に達し、すぐに具体的なビジネスの話が始まります。マレーシアの人は一見のんびりしているようですが、決定と実行のスピードは意外に早いのです。

だから日本独特の「調整後の仕事」がマレーシアの人びとに「のんびりしている」「遅い」との印象を与えるのです。

あるマレーシアの会社に勤めている人が、

「日本の企業は挨拶だけしに来て、その後は音沙汰がない」

と不満を漏らしていました。

日本では、まず「ご挨拶」があり、次に「ご提案」があり、本社に持ち帰って「検討する」のが当たり前です。本題に入るまでに何段階もある。先のカスタマーセンターの電話の応対とよく似ています。

また、「表敬訪問」という習慣もこちらでは不評です。用事もないのに「ご挨拶」「見学」と称して来る人がやたらに多いというのです。勝手に来られた側にすれば、その分時間を取られて仕事になりません。そのため、この「表敬訪問」を有料化した企業もあるくらいなのです。

そもそも、細かいこと（たとえば、イベントで一日アルバイトをお願いするとき）でも、「やってほしいこと」「やってほしくないこと」を契約書に明記します。契約書は、非常に大事です。

「うるさいお客さん」に対しても、「契約書にないことはやりません」と突っぱねてしまいます。私を含め多くの日本人は、「何をどうやってほしいか」「やってほしくないか」を言葉で表現する訓練ができていないと感じます。そんな日本人を相手にするのはなかなか大変なのです。

私の元上司は、

「日本人は言葉をサボりすぎだから、揉めてしまうのだ」

と言っていました。相手に「以心伝心」を求めるため、言葉によるコミュニケーションに手を抜いてしまうのです。私もうっかりよくやってしまい、「あ、ここは日本ではなかった」とそのたびに反省しています。

そして、実は日本人同士でも「以心伝心系コミュニケーション」はあまりできていないのです。日本人が求める「ちゃんと」や「きちんと」の内容は、千人いたら千通りある。

「ちゃんと」や「きちんと」は、「完璧にやってほしい」の意味で使われることが多いようなのですが、これが日本人であっても人によって基準が違うのでトラブルになってしまうのです。

たとえば部下にコピーを頼んで「ホチキスの位置が揃ってない」と文句を言う人がいたり、「了解しました」を目上の人に使うか使わないかで揉めたりと、人によって「ちゃんとする」「きちんとする」の基準が違う。そうなると仕事におけるゴールの設定が難しくなります。

計画を変えたがらない日本人のビジネス感覚

もうひとつ違うのは時間と計画性の感覚です。日本人はとくに「計画性があるタイプ」だという説もあります。

この説を唱えたのは、フランスのビジネススクール、INSEADのエリン・メイヤー教授で、十七年間にわたって、世界中のビジネスパーソンにインタビューし、それぞれの国でビジネスのやり方がどう違うのかを研究しました。中でも、日本と中国は、「計画性」において大きく違うと話しています。

日本の場合、時間に極めて正確で、すべての予定が分刻みでしっかりと計画されている。一方、中国では予定が頻繁に変わります。セミナーの時間や場所が最後の最後で変わることもあるし、登壇者や参加者も変わることがある。それでも、最終的にはきちんと回るんですね。それは彼らの変化に対する柔軟性が高いからともいえます。だから、私のような米国人がアジアを訪れる場合でも、日本と中国に行く場合は心構えが違います。日本は何カ月も前から予定の調整を始め、どこで何をするか、分刻みで決めていく。ディナーに何を食べるかまで。今日のセミナーも10時3分に始まったのですが、それでも誰かが「予定より遅れている！」と言うわけです。これは本当に驚きでしかない。

（「『中国人、韓国人』と日本人が働きにくいワケ」二〇一七年二月二十七日付　東洋経済オンライン）

フレキシブルなのはマレーシアも同様です。出張が突然なくなったり、インターナショナル・スクールで一週間後に予定されていた運動会が突然、延期されたりします。マレー系やインド系の人たちと仕事をしていると、とくに時間に関してはフレキシブルです。集合時間ですら、一時間ほどのバッファがあることがあります。

また仕事のスピードには「当事者意識が強い人が多い」ことも影響していると思います。

面白いのは、業務範囲は契約できっちり決めながらも、現場での仕事ぶりはかなり自主性に任されていることです。もちろん、中にはマニュアルをきちっと決めて対応している企業もありますが、多くの人が「フレキシブルに動ける」のです。

これは日本で言うところの「以心伝心」と近いようですが、むしろ明確なゴールに向かって自らの判断で動いている——と感じます。

マレーシアのとあるイベントで、日本人用、マレーシア人用と二つのマニュアルを作りました。日本人用のマニュアルは持ちものからはじまり細かく指示が記載されたものであるのに対し、マレーシア人用のマニュアルはブースの位置関係など最低限必要な情報や注意事項だけの簡単なものです。マレーシアの人たちは、ざっくりした指示でも適切に判断してやってくれるので、一から十まで詳細なマニュアルを作る必要がないのです。しかし、日本側からするとそうした行動が、「適当に判断して勝手に動かれてしまう」と感じる企業も多いのです。

最初から百点満点を目指さない

東南アジアでは、「とりあえず世の中に出す」ところからビジネスが始まります。日本人としては、「このまま出しちゃっていいの?」と思うのですが、このスピード感が実はとても大事なのです。

マレーシアには「ソフトオープン」という言葉があります。

これはお店やホテルなどを完成前にオープンしてしまうことです。とりあえず「ソフトオープン」して、その後、完成してから「グランドオープン」とするのです。ざっくりと箱だけ作って後から修正するというパターンです。

工事中にオープンしたショッピングモールも数多く、私がよく行くスポーツジムの入っているモールは、オープンしてからも数年間工事をしていました。長男が通っていたインターナショナル・スクールも食堂や図書室が未整備のままでした。

元 Microsoft のプログラマー中島聡さんは、著書『なぜ、あなたの仕事は終わらないのか　スピードは最強の武器である』で、ソフトウェアがアップデートを繰り返す理由を説明しています。

あのアップデートはなぜ何回も繰り返し行われているのでしょうか?

答えは、配信が開始された段階では100%の出来ではなかったからです。

「未完成品を売っているのか！」

そう思われたでしょうか？　しかし想像してみてください。最初から100％の出来のものを作るなんて、可能でしょうか？　大抵の仕事は、終わったときは満足していたとしても、時間が経つと修正したくなるものではないでしょうか？

そして、「100点の仕事など存在しないのです」と書いています。

アプリの開発者はバグがある状態で配信を開始し、後からアップデートを繰り返します。バグの数をゼロにすることは絶対にできず、最初から百パーセントのものはできないのだそうです。

彼が関わったWindows95は、三五〇〇個のバグを残したまま製品化されたそうです。

すべての仕事は必ずやり直しになります。ですから、70点でも80点でもいいから、まずは形にしてしまうことから始めましょう。スマホアプリが延々とアップデートを繰り返している理由を考えてみてください。100点の仕事など存在しないのです。それよりも最速でいったん形にしてしまってから、余った時間でゆっくりと100点を目指して改良を続けるのが正しいのではないでしょうか。

なお、Microsoftにも、当時「完璧を目指そう」とするエジプト・カイロのチームがありました。しかし、最終的にビル・ゲイツが選択したのは中島さんのいる「仕事の早い」シカゴのチームだったそうです。

米国の電気自動車「テスラ」も、Microsoftの開発チームのように、ソフトウェアをアップデートして随時新機能を追加しています。もちろん正確性が重要な場面もあるでしょうが、「とりあえず世の中に出す」というスピード感がソフトウエア中心の時代には、ますます求められているのです。

メイド・イン・ジャパンという過信

地道にがんばっている日系企業がある一方、過去には撤退した企業がマレーシアにはたくさんあります。アジアへの顧客を開拓しようと進出しても、うまくいかないケースも多いのです。

マレーシアの日本人経営者やマーケティングをしている人たちに取材すると、みな口をそろえて「東南アジアでのビジネスは難しい」と言います。なぜ海外での経営が難しいのでしょうか。

「難しい」の主な原因は、「過当競争」と「コスト構造」です。

いまやマレーシアだけでなく、タイやシンガポールでも日本食が大人気です。ＪＥＴＲＯ（日本貿易振興機構）によると、二〇一七年の時点で、和食店はマレーシア全土に約一〇〇〇店舗あります。この中には、ローカルが経営するところも多いです。「本場の味だから売れるだろう」と進出しても、「思ったより需要はない」というパターンです。そんな中、コストの高いやり方で入っていっても、価格競争で負けてしまいます。

もうひとつの原因として、そもそも現地の人と日本人の感性が大きく異なっていることが挙げられます。「日本式にこだわる」「日本式を捨てられない」――これが失敗につながっているようです。

とくにラーメン店は苦戦し、撤退するところも多いです。

日本から来た方が、マレーシアの麺を食べてみると、日本のラーメンよりずっと薄味で、しかも温く感じるのではないでしょうか。現地の人（の舌）には日本のラーメンは「塩辛すぎる」のです。そもそもの好みが異なるのですから、日本の味をそのまま持ってきてもあまり評判がよろしくない。

そこで、現地の人向けに味を調整するのですが、調整しすぎると今度は在住日本人から「こんなのは本当の〇〇ラーメンではない」とお叱りがくるのだそうです。

以前マレーシアのダイソーに取材したら、甘塩味のおせんべいしか置いていない。その理由をダイソーのマネジャーに訊くと、「マレーシア人には醬油味や塩味のおせんべいは、ラーメン同様塩辛すぎて不評です」と言うのです（なお、最近のダイソーでは置くようになりました）。味覚は時代によって移り変わるのかもしれません。

日本だと人気の「お冷（ひや）」も、こちらでは敬遠されることがあります。とくに華人は、「冷たいものは体を冷やす」といい、好まれません。

マレーシア人に「どこのうどんが美味しい？」「美味しいお寿司屋さんは？」などと訊くと、返ってきた答えがローカル経営のお店で、「そこは本当の日本の味じゃないんだけどな……」と内心微妙な気持ちになったこともあります。

ある有名寿司店は、日本人とローカルのお客さんをうまい具合に捌（さば）いており、「どうやっているのですか」と訊いたら、「お客様によって味を変えている」と言っていました。方法までは教えてもらえませんでしたが、高級店ならではのノウハウがきっとあるのでしょう。

こんなふうに、ラーメンやおせんべい、お寿司にしても現地の人の味覚は日本の人が好むものとかなり異なるのです。

また、商品のパッケージやＰＲ方法もかなり好みが異なります。

日本企業が海外にモノを売る場合、日本の既存製品を海外で売る「プロダクトアウト」方式になることが多いです。しかしこの方法、製品の企画からマーケティングまで、日本人だけでやるとうまくいきません。現地ではそもそも日本人が好むものは求められていないからです。

プロダクトアウトからマーケットインへの発想

二〇一九年一月にマレーシアで行われた、内閣府主催のクールジャパン・セミナーでは、「プロダクトアウト」から「マーケットイン」にする必要があるという声が出ていました

「プロダクトアウト」とは、企業が商品開発や生産、販売を行う上で、作り手の理論や計画を優先させる方法のことです。買い手（顧客）のニーズよりも、「作り手がいいと思うものを作る」「作ったものを売る」という考え方です。

一方、「マーケットイン」とは市場のニーズを優先し、顧客の声や視点を重視して商品の企画・開発を行い、提供していくことです。「プロダクトアウト」の対義語であり、「顧

客が望むものを作る」「売れるものを作り、提供する」という考え方です。

マレーシアのマーケティング会社ＣＥＯとして登壇した坪野香梨さんは、

「日本の商品はそのままだと売れません。たとえば、日本で好まれる素朴な色は人気がなく、派手な色が好きな人が多いのでリブランディング（ブランドの再構築）に費用がかかります。また、マーケティングでも、日本人が大好きな開発秘話などを載せた、文字ばかりのパンフレットはまったく読まれません」

と話していました。

では、この難しい市場にどうアピールしていくべきでしょうか。

現地で受け入れられる「マーケットイン」の発想に寄せるには、ローカルの人びとと一緒に考えていくことが必要になってきます。本社の日本人だけで進出を考えていても、現地の人びととのマーケット感覚はなかなかつかめません。

日本で輸入製品を売る場合、日本のマーケットを知っているのは日本人ですから、日本人バイヤーに品物を選ばせる企業が多いのではないでしょうか。たとえば、企画から集客まで全部インド人だけで考えた「オールインディア」のフェア、日本で受け入れられるでしょうか？　「オールチャイナ」の中国料理店はどうでしょうか？　日本での開催に「日本人の目利き」がいるように、現地には現地の消費者を知る「現地の目利き」が必要だと思うのです。日本の中華料理もインド料理も、だいたいのお店では日本人向けにアレンジされています。「本場のインド料理」をそのまま日本で提供してもあまりニーズがないのです。

海外でも同じです。

「現地のバイヤーが日本で見つけてきたものを売る」という考えの方がおそらく合理的なのです。売ろうとするマーケットを知り尽くした現地のバイヤーが日本に来て、売れそうなものをピックアップしてもらった方がいいこともあるでしょう。

私たちも、海外旅行ではエキゾチックな料理を試してみますが、日本で同じ外食店があったからといって日常的に行くわけではありません。

日本人が「やっぱり日本の料理がいちばん美味しい」と感じるのは、大多数の日本人の舌に合っているからなのです。日本料理を賞賛するマレーシア人の本音が、「やっぱりマレーシア料理がいちばんだ」というのと同じです。

売るためのプロモーションも同様です。

日本の通販で物を買いたいマレーシア人からよく聞く不満は、「海外向けサービス」が、利用者の立場に立って作られていないことです。登録に日本の住所が必要だったり、特定の品物しか買えなかったりと、日本人目線でサイトが作られているためか、実際には「使えない」というのです。

そして、観光業界ではすでに「マーケットイン」方式になっているところが多いです。観光地として北海道のニセコや岐阜県の白川郷が外国人に大人気になったように、外国人たち自身が「人気が出るもの」を作っているのです。本気でモノを売りたいのなら、意志決定プロセスに外国人がいた方がよい。

今後日本市場が少子高齢化でますます縮小していく中で、多くの企業にとって海外進出は避けられない事態となっています。長い目で、マーケティングの戦略を立てていくことも必要でしょう。

社員を「友だちのように大事にする」

では、どうやったら、東南アジアの人たちと一緒に気持ちよく仕事することができるでしょうか。

意外かもしれませんが、こちらで重視されるのが「チームワーク」「仲の良さ」です。しかしその「チームワーク」は、日本人が考えるものとは少し異なっています。

日本の観光地にマレーシアのインフルエンサーを派遣する仕事をしていたとき、「お金を払ってまで取材させてあげているのに、いつまでも写真を撮りあっていて、まるで遊んでいるように見える」というクレームを受けました。

チームで協力し合って、楽しそうな写真を撮るのが彼らの仕事のひとつなのですが、「仕事とは歯を食いしばってやるべき」と考える日本の現場（とくにお役所）には「ちゃんとしていない」と見えるらしく、なかなか理解されませんでした。

二〇一九年のAPAC就業実態・成長意識調査で、東南アジアの会社には「チームワーク重視」の傾向があると分析されています。


東南アジア、南アジア、オセアニアでは「チームとしてひとつにまとまっている」や「一致団結して目標に向かう」が上位に入り、「職場ではいつも活発な意見交換が行われておりにぎやか」や「上司部下でも分け隔てなく仲が良い」もトップ10に入る国が多く、チームワークを重視する傾向が見られる。


この分析の通り、東南アジアの会社は「チームワーク重視」だと私も感じます。そして本当に「にぎやか」なのです。

もちろん管理職と一般社員との間には歴然とした差があります。日本よりもトップダウンで組織を動かす会社も多いですが、従業員が定着している職場は上司と部下との関係が良く、従業員同士の結束も固いのです。

私がマレーシアのある企業の営業部で働いていたときのことです。お客さんをお迎えする際、何かトラブルが起きるとすぐにWhatsAppで連絡をとり、助け合っていました。営業の売り上げの数字は、個人ではなくチームで達成するシステムだったので、お互いに協力することが効果的でした。マレー語が得意な人、中国語が話せる人、中東の人、ヨーロッパの人、さまざまな国籍の人が働いていたので、お客さんの国籍によって調整し合うことができるのです。

とくに重きが置かれたのが「チームビルディング」と呼ばれるイベントです。金曜になるとピザパーティーをしたり、社長と社員が映画を見に行く日があったり、みんなで参加する音楽会があったりと家族的で和気あいあいとした会社でした。

あるマレーシア人に、

「なぜこんなにイベントが多いの？」

と訊くと、

「マレーシアの会社の多くは、従業員に会社に来るのを楽しみにしてもらおうと工夫してるのよ」

と言っていました。

「ランカウイ島や日本へ行く社員旅行もよくあるでしょう。会社を第二の家庭のように居心地よく思ってほしいから。楽しくなければ辞めてしまうし、我慢してまで働こうって人は少ないから、上司は従業員を楽しませるよう気を配っているの」

会社が社員を「友だちのように大事にする」と人間関係の軋轢（あつれき）が少なくなります。部下をただのコマとして扱い、「とにかくやれ」と自分の出世のことしか考えていない人間が上司では、社員の士気も生産性も下がることがわかっているのです。

私はある雑誌の取材旅行に毎年のように参加していますが、この会社は上司と部下の仲が良く、移動中のバスではカラオケして大騒ぎ。揉めてトラブルになったこともありません。

実は、マレーシアには長時間労働の職場が多いです。だいたい、早朝から夜中まで取材が続きます。写真を撮るときはバラバラに来たインフルエンサーやライバル企業の人同士がお互いに協力して、モデルになったり、撮影のための小道具を作ったりします。ですから、人間関係のストレスがない方が、個々のパフォーマンスが上がります。

仕事中におしゃべりをしていても音楽を聴いていても早めに帰宅しても、細かいことは気にされません。

「和を重視する」との違いは

これは一見日本の飲み会文化と似ているようで少し違います。

先のＡＰＡＣ就業実態・成長意識調査では、

東アジアの上位は「上に従う」「和を重視」「波風を立てない」。上に従い波風立てない組織文化が色濃い傾向。


とあるのですが、マレーシアで日系企業と現地企業との間で仕事をしてみると、圧倒的に日系企業で「波風が立つ場面」を見てきました。

「招待状をA部長には送らないで、B課長に送るなんて困るんだよ」

と怒られたり、

「C社とD社のロゴを並べるとき、C社が上に来るのはおかしい」

とクレームがきて訂正させられたり、企業同士が喧嘩になってプロジェクトが空中分解したこともあります。日本企業側が現場のスタッフをモノのように軽く扱って嫌な思いをさせられたり、仕事の発注先と発注元で意見が合わず、険悪な雰囲気になったことも一度や二度ではないのです。

日本企業側に目を向けると、平等に見える組織の中にも「細かい差別待遇」があることがわかります。

日本では、「いい大学に入って、いい企業に入ること」が「人生における成功」と思われています。しかし、実際には「いい会社」に入ったからと言って「成功」とはなりません。実はまだまだ「その先」があるのが現実です。

私が新卒で入った金融機関には強固な上下関係がありました。上下関係と言っても、海外のようなシンプルなボスとマネジャー、上司と部下の関係ではないのです。

同じ正社員でも、「総合職・準総合職・専門職・一般職」と職務が分かれていました（もっと細かかったかもしれません）。さらに契約社員や派遣社員、パート社員、関連会社の社員がいました。給与にしても、「総合職→準総合職→専門職（技術職）→関連会社の社員→一般職→派遣社員→パート」といった具合に明確に格差があり、この「序列」を気にしている社員がとても多い。

そして、この上下関係のキャリアは、ほぼ変わらないのです。一般職から総合職へ、総合職から一般職へキャリアチェンジすることが難しかった時代。まるで身分制度のようです。

では総合職なら安泰かというと、ここにも「序列」がありました。異動する部署や転勤する赴任場所によって「栄転」や「左遷」という格付けです。

異動の内示があるたびに、その一覧をチェックして、

「A部長は本社広報部に異動。栄転だね。だけどBさんは、〇〇支社の総務部に転勤か。これは左遷人事ね。『おめでとうございます』は控えておくか」

みたいな噂話に興じる人たちがたくさんいます。

「本社は支社より、東京は地方、社長室は総務部より上」といった「序列」があり、その力関係が組織の中のありとあらゆる場所を支配していました。


マレーシアで、「会社名がステイタス」と思っている人は少数です。職業の勝ち組・負け組などという言葉も聞きません。会社員は会社員ではないか、というわけです。むしろ起業して自分でビジネスを展開することに憧れる傾向があります。もちろん財閥の一族や、「ダト」などの称号を持っている人も一目置かれます。

常に上には上がいて、社長のポジションはひとつしかない。

他人と自分を比較し続けている限り戦いは終わりません。いつもランクを付け合ってばかりいると他人に嫉妬したり羨望したり、かわいそうと憐れんだりして生きなければなりません。

だから、誰もが羨ましいと思うような一流企業にいながらも、実はほとんどの人が「負

け組」になってしまうという「謎のパラドックス」が大学受験同様、ここでも発生します。

第一章で述べたように、日本人の幸福度が低いのも、この「序列競争」に原因があるように思えます。

お詫びを重視する社会

振り返れば、日本にいた頃はよく「怒られて」いました。

今では学校や会社で、「一部のクレーマー」により、細かいルールを作らなければならないという話を聞きます。怒っている人を宥めるために、サービスの提供側がある程度の譲歩をすることがあります。「ごね得」という言葉をマレーシアの人に説明すると驚かれます。

マレーシアでは、従業員がミスをしたケースでも、とくにお詫びもなく、責任を追及せず、「しょうがないね」で終わってしまうことがよくあります。「人に迷惑をかけるな」と教わって育った日本人とは価値観が違います。遅刻したマレーシア人が、ニコニコしながら、「ソーリー」と言って日本人上司に怒られたり、車をぶつけられて、ぶつけた側から「まあ気にするな。運が悪かったのだ」と言われたという話もあります。

しかし反面、前述したように、「従業員への失礼な態度は絶対に許しません」と強気なところもあるのです。日本のように「お客様は神様です」とは思っていないということです。

日本にはお詫びをするときに、「対面でないと失礼」「謝罪文は手書きでないと失礼」と考える人がいます。

私は新卒で入った損害保険会社で、交通事故のクレームを受けるサービスセンターにいました。ここで覚えた慣習は、小さいミスでも「まず菓子折りを持ってお詫びに行く」という文化でした。揉めそうな案件や、被害者がやたら怒っているような状況では、被害者に必ずお詫びに行くよう指導されます。その教えはしっかりと自分の中に根付いているので、マレーシアに来た頃は、あまりの違いに驚きました。

言ってみれば、これは相手の気持ちを鎮めるための「儀式」です。お互いに時間を無駄に消耗するにしても、「形式的な気持ち」が重要なわけです。

そして、この「儀式」をやらないと、「誠意がない！」と余計に相手が怒って示談に応じてくれなくなり、問題がどんどんこじれていきます。

日本社会には、こうした「お互いに時間は無駄にするけれど、感情を収めるために必要なこと」にものすごく時間を費やします。人間なのだから、ミスをしたり、他人に迷惑をかけて生きるのは当たり前。他人を責め、許さない気質は窮屈だなと私は感じてしまうのです。

怒りを鎮めるための「謝罪の儀式」

ある大企業のイベントで、企業間でトラブルが起きました。現場はなんとかその場で収まりましたが、担当者はその後、「反省のための文書」を書かされました。

そのとき私は孫請けで関わっていたので、トラブルの原因はわかりませんが、「何があったかを思い出して時系列に整理して、本社に報告しなくてはいけない」と言うのです。なんという後ろ向きな仕事なのでしょうか。一方マレーシアではトラブルの原因を追及せず、曖昧なまま終了することもあります。

この「反省文」を書くという「謝罪の文化」は小学生の時代から始まっています。今ではあまり聞くこともないようですが、私が子どもの頃、小学校では「反省会」というものがありました。その名の通り、児童に「反省させる」のです。

「A君が掃除をサボっていました！」

と責められる。Ａ君は、

「サボって悪かったです。これからはちゃんとやります」

と言い、先生から「反省文」を書くことを命じられます。

反省文を書かされる方は、心の中では「めんどうくさいなあ」と思っていたりします。

「あのときはお腹が痛かったからです」などと書くと「言い訳するな」とさらに怒られることが目に見えているので、ひたすら「ごめんなさい、僕が悪かったです」と謝る。本心でなくても、です。ただ形式的にお詫びの文章を書くのです。

つまり「反省文」を書くことが、「時間の浪費」であり、「他人に嘘をつく練習」にもなっています。こうして「本音と建前」を子ども時代から叩き込まれていくのです。

そういう教えを叩き込まれた子どもが大人になり、社会の中枢を担っていくようになって、「謝罪の文化」につながるのだと思います。


日系企業と一緒に働いてつくづく大変だと感じるのは、社内におけるこのような「文書作成」です。とくにお役所では、書類の「分厚さ」が評価につながることもあるらしく、延々と長い文書を書かされます。読む側も、長すぎてポイントを探すのも大変で「誰得なの？」となります。

「お詫びの姿勢を見せること」「それに時間を使うこと」「分厚い報告書を作ること」が日

本のビジネスシーンでは重要なのでしょう。

たとえば地下鉄が遅延したとき、乗客に謝る職員です。謝っている時間があったら、他の仕事をすればいいのにと思ってしまいます。そして職員の貴重な時間が失われていき、サービス業に携わる人たちの仕事はますます忙しくなっていくわけです。


「良かれと思って」やっているこの「謝罪の文化」について、実に興味深い分析がありまず。何度も刑務所に入るような犯罪者の共通点が、「反省文をたくさん書いていること」だと聞いたらビックリしませんか?

臨床教育学者で、刑務所での累犯受刑者の更生支援に関わっていた岡本茂樹さんは、著書『反省させると犯罪者になります』で、反省文を書くことは、「百害あって一利なし」と書いています。


悪いことをした人を反省させると犯罪者になります。

そんなバカなことがあるか。悪いことをしたら反省させるのが当たり前じゃないか、と思われるでしょう。それは、疑う余地もない世間の「一般常識」なのですから。

しかし繰り返しますが、悪いことをした人を反省させると、その人はやがて犯罪者になります。自分自身が悪いことをして反省しても、同じ結果です。つまり犯罪者になります。

問題行動を起こしたら、「すみません。ごめんなさい」と謝罪して、二度と過ちを犯さないことを誓う。これが学校現場だけでなく、家庭でも社会でも普通に行われてきた方法なのです。しかし、これでは問題を先送りするだけなのです。それももっと悪化させた形で。

反省させるだけだと、なぜ自分が問題を起こしたのかを考えることになりません。言い換えれば、反省は、自分の内面と向き合う機会（チャンス）を奪っているのです。問題を起こすに至るには、必ずその人なりの「理由」があります。その理由にじっくり耳を傾けることによって、その人は次第に自分の内面の問題に気づくことになるのです。この場合の「内面の問題に気づく」ための方法は、「相手のことを考えること」ではありません。親や周囲の者がどんなに嫌な思いをしたのかを考えさせることは、確かに必要なことではありますが、結局はただ反省するだけの結果を招くだけです。

しかし今でも何かことが起きると、当事者を容赦なく引き摺り出して、「反省している姿を見せるべき」と考える人が日本では大多数です。学校や企業だけではなく、生活の場においても同様です。

新型コロナウイルスの感染が広がった当初、日本ではコロナに感染した芸能人が、「ご迷惑をおかけしてすみません」と謝る事例がたびたびありました。マレーシアでは、「病気にかかった人」がお詫びする姿など見たことがありません。それは、「病気にかかってしまうのは仕方がないこと」と考えるからなのです。

もちろん電車や飛行機の遅れで謝ることもありません。謝罪があってもサラっとしたものです。何かミスをしたとしても追及せず、

「おお、ソーリーソーリー」

という感じです。つられてこちらも、

「オッケーラー（いいよ）」

となってしまう。マレーシアに長くいると、こういう感じが身についてきます。

実は日本にもそれなりにフレキシブルな組織は存在します。また、海外でモノを売るために、社内公用語を英語にしたり、マネジャーに外国人を採用したりするところも増えてきました。

そのうち、日本のグローバル化とともにこの「反省カルチャー」も薄まっていくでしょう。人も企業も、無駄な謝罪を求めることで失われる「時間の貴重さ」に気がつけば、社会はもう少し暮らしやすくなっていくと思います。

これから「世界でモノを売りたい」「海外で働きたい」という人は、日本人的な「序列」の感覚とは別に、どんな相手でもリスペクトするように心がけるといいと思います。

一方で、この章の冒頭で書いたシンガポールの元首相を驚かせた日本の「何かを改善していく力」や「独自の文化を発展させていく力」「物事を丁寧に成し遂げようとする力」もまた、グローバル社会の中にあってユニークさを持ち続けるでしょう。

良いところを見習いつつ、日本式とグローバル方式の二刀流を使い分けていくのが、海外でビジネスを成功させる鍵になるのではないでしょうか。

第3章

「まあいっかの教育」が視野を広げる

子どものために海外に移住する日本人が増えています。マレーシアだけでなく、シンガポールやタイなど他の東南アジアの国々でも同様のようです。

私の場合は、長男が小学生のときに母子で来たのですが、マレーシアの学校に入れてはじめて、「教育というのは、国が変わるとこんなにも違うものなのか」と驚きました。とくに教育の種類が多岐にわたること。そして、子ども自身の興味を重視するやり方が存在することです。

日本では、

「先生の話を聞かないと授業が理解できない」

「教科書とノートがないと勉強ができない」

と思っている人が多いかもしれません。

ところが、ＩＴ革命は、ビジネスだけでなく、教育のあり方を根こそぎ変えてしまいました。「知識を教えない先生」や「教科書がない教育」が当たり前の学校があるのです。

教科書・ノート・ドリル・黒板への思い込み

長男が通っていたあるインターナショナル・スクールでは、インターネットで多くのことが完結していました。授業では、Google Document や Google Classroom を活用し、宿題や課題もネットで指示されます。動画やパワーポイントを使う一方で教科書やノート、紙の辞書、参考書の類（たぐい）はほとんど使用しません。テクノロジーを活用することが、教育の目標のひとつになっています。

授業で先生が一方的に延々と話すことも、子どもたちにノートを取らせたり、漢字や計算ドリルの宿題を出したりすることも減りました。試験では、関数電卓の使用が推奨されています。

長男は小学校ではノートを使っていましたが、中学生以降は一冊も使っていません。手書きが必要なときは、iPad などのタブレットを使用します。動画やディスカッションでインプットすることもあれば、「YouTube 動画を作ってきて」「プレゼンをして」「ラジオ番組を作って」というアウトプットもあります。つまり「知識を詰め込むこと」に重きを置いていないのです。

日本でこの話をすると、「そんなので大丈夫？」と言う方がいます。計算ドリルもやらせないし、電卓を使い、漢字の書き取りもさせない。教科書もなく、暗記は少なく、まるで遊んでいるみたい。こんな教育で良いのか、と。

たしかに、私自身も含めて、現場の先生たちや親世代は、「教科書やノートはちゃんと使わなきゃ」「計算機を使ってはいけない」と自分で受けてきた教育を基準に考えます。親世代の思い込みにより、多くの日本の教育現場が変わらないのかもしれません。

世界中で広がる「4つのC」

日本、アメリカ、オーストラリア、マレーシアで教え、現在マレーシアの私立大学であるサンウェイ大学ビジネススクール経営学部の学部長である渡部幹(もとき)教授も、二人のお子さんをマレーシアで育てていますが、「その目的は英語だけではなく、むしろ英語以前にある」と断言しています。どういうことでしょうか。

アジアのインターナショナル・スクールや欧米で行われている教育は、伝統的な教育とは程度の差はあれ、どうやら真逆と言ってもいいくらい方向性が違います。

正解がある教育を「伝統的教育」と呼びます。先人の知識である教科書の内容を暗記せよ、と教える教育です。

一方で、今世界でじわじわ増えつつあるのが、「進歩的教育」です。知識は時代によって変化するもので、知識を吟味し探究、自分で考えることを重要視します。

教育の歴史の中、この二つはせめぎ合ってきました。インターネットで情報はすぐに手に入るようになり、「物知り」である必要性が落ちました。そこで、進歩的教育と同時に重要視されるようになったのが「4つのC」と呼ばれる概念です。

Critical thinking（批判的思考）
Communication（コミュニケーション）
Collaboration（協働）
Creativity（創造性）

これに加えて「Computational thinking（計算論的思考）」を入れて「5つのC」とする説もあります。

アメリカの例を見てみます。全米教育協会が発行する『*An Educator's Guide to the*

“Four Cs”（教育者向けの４Ｃガイド）」はこの「４Ｃ」について米国の公立学校の先生向けに解説したパンフレット。発行年月日が不明ですが、おそらく二〇一〇年代と思われます。

「３Ｒ（読み書き算盤）だけではもう足りない」

そもそもなぜ、教育を変えなければいけないのか、から始まります。

アメリカの教育システムは、「もはや存在しない経済と社会」のために構築されました。五十年前の製造業と農業では、「３つのＲ」の習得で十分でした。（筆者訳）

製造業と農業の時代は「３つのＲ」で良かったというのです。

現代のフラットな世界で生徒がグローバル社会で活躍したいのであれば、３Ｒだけでは十分ではありません。彼らはまた、「批判的思考者、熟練したコミュニケーター、クリエイター、そして協働できる人」（編集注・つまり４Ｃ）でなければなりません。（同前）

「3R」では足りず、「4C」が必要だというわけです。

すべての教育者は、五十年前に優れた教育と見なされていた教育で、学生の人生の成功を支援したいと考えていますが、二十一世紀の市民権で大学でのキャリアを成功させるにはもはや十分ではありません。(同前)

マレーシアの学校を取材すると、さまざまなインターナショナル・スクールで程度の差はあれ、だいたいこの4つを重視する教育が行われています。

とくに欧米のインターナショナル・スクール（国際バカロレア、米国、オーストラリア、カナダなど）で積極的に取り入れているようです。これらの学校は、先生が知識を教えることには重きを置いていないよう見えるかもしれません。なぜなら「知識は自分で学ぶものの」だからです。

一方で、先生が教壇に立って生徒全員に同じ内容を教える「一斉授業」や、物事を暗記する「物知りを作る」スタイルは、「伝統的教育」などと呼ばれます。マレーシアの公立校はこちらに近いかもしれません。

なぜ今「4C」がビジネスに必要なのか

しかしビジネスの世界では、この4つのCの重要性は高まっています。

たとえば、先の公立学校の先生向けのパンフレットでは、米国経営者協会も、「4つのC」が重要だと回答しています。

二〇一〇年の米国経営者協会の「AMA 2010クリティカルスキル調査」では4つのCは、将来、組織にとってさらに重要になるとしています。

AMA調査に回答した幹部の四人に三人は、とくに経済が改善し、組織がグローバル市場で成長することを目指すと、これらのスキルと能力は今後三〜五年で組織にとってより重要になると考えています。

日本でも、「批判的思考」を学ぶビジネスマンは増えていますし、「コミュニケーション」や「創造性」の重要性はよく理解されているのではないでしょうか。

しかし、「コラボレーション（協働）」についてはあまり聞かないかもしれません。

第二章に書いたように、日本のモノを「マーケットイン」で売るには、マーケットを知る現地の人との「協力」が必要不可欠です。

さらに視野を広くして、世界市場でモノを売るためには、性別や国籍、宗教などさまざまな属性を持つ人とコミュニケーションを取り、協働して、新しい価値を生み出すことがどうしても必要になります。

しかしここで、「特別にお行儀がいい偏差値60以上の学校を出た日本人としか付き合ってこなかった」としたら、価値観の異なる人たちと「協働」するのは、難しくなるかもしれません。

インターナショナル・スクールで扱うのは「世界の課題」です。

グローバル市場での競争は熾烈(しれつ)です。社員を「日本人だけ」「男性だけ」に限定できるほど甘くないからこそ、多くの多国籍企業が、「より優秀な人材を獲得するため」に、グローバルにならざるを得ないのです。

そこでは、「日本をナンバーワンにする」「日本はすごい」などのように「自国のことだけしか見ていない発言」は、ときに視野が狭いと捉えられてしまいます。

カリフォルニア州で保育園を運営し、フィリピンのセブ島で英語に特化した語学学校を起業した、元アップル社シニアマネジャーの松井博さんは『企業が「帝国化」する』でこう書いています。

企業の中枢を多国籍化・多文化化する最大のメリットは、最初から「世界中で通用する製品」を開発したり、「世界中で通用するマーケティング戦略」を練り上げたりできることでしょう。人材に多様性を持たせることで、さまざまな視点をデザインや戦略に取り入れ、どの国でも通用する極めて普遍性の高い製品やサービスを開発することが可能になるのでしょう。アップルではジョナサン・アイブが率いるデザインチームには外国人のデザイナーが大量にいる上、アイブ自身もイギリス人です。これはデザインだけでなく、マーケティングや開発などでも同様です。

メルカリが、多国籍人材を受け入れているのはよく知られていますが、そこには明確なメリットがあると思います。

つまり語学以前に、さまざまな視点から物事を捉えることができる能力を鍛えておく必要があるというわけです。

この話をすると、「日本でも同じ学びはできないのですか」と訊かれます。「日本でもグローバル教育やダイバーシティ教育を謳う学校がありますが、先生は日本の教育しか受けていない人ばかりで心配です」と言うのです。そんな方に4つのCを家庭で鍛えるためのヒントを少しご紹介します。

親のやっておくべき学び その1

クリティカル・シンキング。

日本では「批判的思考」と訳されますが、「物事を鵜呑み（うの）にしないで、注意深く見る」ということです。

国際バカロレア（IB）などのインターナショナル・スクールでは新聞や雑誌、ネットなどで報道されるニュース記事や広告を徹底的に疑う練習をするのです。

ここで知っておきたいのが論理学の「誤謬（ごびゅう）」（考えや知識の誤りのこと）です。英語では「ロジカル・ファラシー」と呼ばれます。

長男の高校では、資料や引用文献を探すときに、「誤謬を含むものは、信頼性が低い可能性がある」と学んでいました。私もつい最近、米国の大学院の準備段階で「批判的思考」の一環として誤謬を学び、文章や動画・広告・演説に含まれている誤謬を探すトレーニングをしました。

なぜ知っておいた方がいいのかと言いますと、親や先生が無意識に「誤謬」を使うケースが多いからです。

後に子どもが学校で批判的思考を学び始めると、必ず親の言葉の矛盾に気づくでしょう。私もまだ学んでいる途中ですが、いくつか紹介します。

たとえば「権威に訴える論証」です。

「お母さんの言うことだから正しい」
「偉い先生が言っているから真実だろう」

要するに、「権威がある人の言うことは正しい」ということです。しかしそれだけでは論拠として不十分な場合があります。

「お前は何回も間違ったじゃないか」

これは「間違った類推」と言います。その前の段階から次の段階を、実際には導き出されていないのに、導き出されてしまうように錯覚させる言葉の使い方です。

「みんなが学校に行ってるから、あなたも行くべきだよ」

「バンドワゴン誤謬」と言います。経済学などで使われる用語に「バンドワゴン効果」というのがあります。「みんながやっている」という理由で人々に何かをさせたり考えさせたりすることです。

一方で、論理の世界では「みんながやっているから何かすべき」は、むしろ代表的な誤謬のひとつとして避けるべきとされます。「多数派に訴える論証」とも呼ばれます（Excelsior University「Argument & Critical Thinking」を参考にしました）。

「お前はあいつの味方なのか、それとも敵なのか？」

これは「誤った二分法」と言って「本当はそれ以外にも答えはあるかもしれないのに、二つの選択肢しか考慮しない」状況です。心情的にはこっちにつくけれども、事情的にこっちにつけないとか、中立を取りたいなど、いろいろな立場があるはずなのに、これを「白か黒か」に分けてしまうことです。

「そんなことしたらばちが当たるよ」

これは「公正世界仮説」と言われます。人間の行いに対して公正な結果が返ってくるという認知バイアス（思考の偏り）です。「いいことをしたらいいことが起きて、悪いことをしたら悪いことが起こる」といった昔話のような説です。

「大学に行っていい会社に入れないと、一生仕事が見つからなくて貧乏で辛い思いをするぞ」

これは「恐怖に訴える論証」つまり、人びとの恐怖心を利用する誤謬です。

このように誤謬を学ぶと、論理のすり替えに惑わされることがなく、効率的で本質的な議論ができます。また、普段の生活でも、記事や広告の論理的な間違いや意図的な誘導に気づきやすくなります。もし子どもに批判的思考を学んでほしければ、親も家庭の中で意識することが重要でしょう。

親のやっておくべき学び　その2

また、英語を学ぶことで、日本語だけを使っていたときには見えないことが見えます。文部科学省も推進する国際バカロレア（ＩＢ）の学習者像のひとつには「コミュニケーションができる人」が入っていますが、いわゆる「コミュ力」とは少し異なります。「私たちは、複数の言語やさまざまな方法を用いて、自信をもって創造的に自分自身を表現します。他の人びとや他の集団の物の見方に注意深く耳を傾け、効果的に協力し合います」（ＩＢの学習者像）とある通り、複数言語で違った集団とコミュニケーションをとることが目標です。これは「日本語だけで同郷の日本人とだけならコミュニケーションできる」ことではないのです。

英語はハードルが高いという気持ちはわかるのですが、英語が母国語ではない国の人の英語力は向上しています。インターネットでは巨大な英語コミュニティが立ち上がってきました。今では、安価なオンライン・コンテンツが多く見つかる時代ですから、ぜひ子どもと一緒に学ぶと良いと思います。

おすすめは、英語の先生との一対一の議論です。

一対一で議論することは、とてもいいコミュニケーションになります。議論に慣れている先生は細かく突っ込んできます。「議論は日本人同士でもできるでしょ？」と言う人がいますが、日本語は敬語を意識するため対等な立場で議論するのが難しいと感じます。


「先生に対して反論したらいけないかな」

「ここは相手を立てないといけないかな」


小さい頃から「口答えするな」「生意気なことは言うな」と言われて育つと、無意識に「上の」人に対して遠慮するようになってしまいます。

これは先生たちにとっても大きな課題で、教師自身が、「私が教える人で、あなたたちは教わる人」といった上下関係から脱することができないというのです。たしかに、子どもの頃から植え付けられた思考から抜け出すのはかなり難しいだろうなと思います。

そこで、一旦日本語から離れて、英語でコミュニケーションを取ってみることをお勧めします。こんなにコミュニケーションの方法が違うのかと気がつくはずです。

インターナショナル・スクールやフィリピンの英語学校では、意見を言うときに「なぜそう思うのか？」と理由をしつこく訊かれます。この「理由を述べる」ことが思考力を鍛えます。

英語の語学学校で受講者たちを取材してよく言われるのが、

「人生で一度も考えたこともなかったことを訊かれる」

です。

たとえば、議論で、

「日本の政治はダメだと思う」

と発言したとします。先生から、

「なぜ日本の政治がダメなのか説明してください」

と言われて初めて、

「そう言えば、なぜダメなのか、考えたこともなかった」

となるわけです。

「政治や宗教など、真面目な話をそもそもしたことがなかった。してはいけないと思っていた」

とおっしゃる方も多いです。

親が英語を学ぶのは、子どもの教育にとっても良いことだと思うのです。なぜなら「対等な議論」ができる場が日本ではなかなか見つからないからです。

英語を学ぶとは、どういうことなのかを、親が体験すれば、家庭での会話も変わっていくのではないかと思います。それが将来の学びに役立つでしょう。

4Cを学ぶのに重要な「心理的安全性」

マレーシアで取材したあるホームスクールは、先生の採用で重視される条件として「感情コントロールができること」を挙げていました。実は4Cを学ぶのにいちばん重要なのが「心理的安全性」(psychological safety)と言われます。

オランダ在住の藤村正憲さんは、アムステルダムの小学校の先生たちに取材してフェイスブックに書いています。

国語でも算数でも体育でも全ての授業で言語能力、表現能力を大切にしています。だから、先生は丁寧に説明するし、生徒が発言しやすい環境を作るし、生徒も安心して表現できます。学校や先生への批判も丁寧に対応します。正しい言語能力、表現能力を手に入れるための訓練だからです。頭ごなしに怒るようなことをしませんし、同時に子どもたちに感情のコントロールの大切さも伝えています。

ハーバードビジネススクールで組織行動学を研究しているエイミー・エドモンドソン教

授により提唱され、Googleがその実験結果を公表して以来、日本でも重要なキーワードとして認識されています。

要するに「何を言っても怒られない」「馬鹿にされない」という環境が整っていないと、「創造性も発揮されないし、表現力も伸びない」というわけです。ですから、家庭でも、頭ごなしに怒ったり、親が先に不機嫌になったりしないよう、まずは「親の方が変わる」必要があると思います。

「議論」のゴールは「論破」ではない

最近少なくなってきたようですが、二〇〇〇年代の日本のテレビ討論やTwitterで、相手を「論破」することが流行っていました。

私も長い間、「議論」のゴールは、

「相手をやっつけること」

「どっちが正解か、白黒つけること」

だと思っていました。

ところが、マレーシアのインターナショナル・スクールで学ぶ中高生たちに聞くと、そうではないと言うのです。

学校では生徒たちがかなりつっこんだ議論を毎日していますが、感情的になって相手を打ち負かそうと「論破」することはほとんどないそうです。

子どもたちは、

「僕たちが習っていることは、いかに『論破』しないか。むしろTwitterみたいにならないように議論する手法なんだよね」

と言います。そこで初めて、相手を「論破」するのではなく、「理解を深めるためにする」議論があることを私は知ったのです。相手をやっつけないということは、実は「協働」や「コミュニケーション」でとても重要なことなのです。

「ひとつの正解のために戦うディベートは最悪です」と言うのは、国際バカロレアのフェアビュー・インターナショナル・スクール・クアラルンプールの校長を務めるヴィンセント・チアン博士です。

「議論をして、最後にはどちらかが死ぬ。これはひどい勝ち負けのメンタリティにつながります」

国際バカロレアで重視される「オープンマインド」とは、自分と違う意見を認めることです。

「これは、『私とあなたのどちらが正しいか』の議論とはまったく異なります。私たちは、白黒思考ではなく、オープンマインドを奨励します。オープンマインドとは、他の人の意見を受け入れ、他の人も正しいかもしれないと考えることです。私たちは五歳から十八歳までのすべての子どもたちに、オープンマインドを促進する授業を実践するのです。

　すると子どもたちはこうなります。『私たちはみんな正しくない』『でもみんな正しい』——しかしこれは大人でもなかなか理解できません。『いったいなぜ、私たちの両方が正しいなんてことがあるでしょう？　どちらかが間違っているに違いない……』と。

『ほとんどのことに正しい答えはない』と学んだ子どもたちは恐れません。私たちが子どもを評価するとき、試験では原則『正解は何か』より『あなたはどう考えるのか？』です。これは非常に重要なステップです。ここでの議論の目的は、『正しい答え』を見つけるためではないのです。学ぶためには『どうやって話すか』ではない。あなたは自動的に『聞く』ことになります」

　議論を中心とする授業では、だいたい「答えはない」のだそうです。議論の先にあるのは「お互いが深い理解にたどり着くこと」だからです。

　このように、異なる意見を持つ相手を理解しようとする力は、めまぐるしく変化していく世界を生きていかなければならない子どもたちにとって、視野を広げ、自分自身をアップデートしていける場として重要になるでしょう。

アプローチは国やシステムによって異なる

非常に面白いのは、「正解のない教育」へのアプローチが国や学校によってさまざまなことです。マレーシアでも、国際バカロレア、英国式、米国式でかなり異なります。国際バカロレアのように、学習者像を明確にする教育もあれば、反対に、究極の「ゆとり教育」のようなアプローチをする国もあります。

ニュージーランドで留学サポート事業をする「リアルニュージーランド」の藤井巌さんによると、ニュージーランドの教育は「リサーチベース」です。リサーチベースとは、「教育に関しての学術研究が出るたびに、最新の結果に基づいて学習手法を変えていく」ことです。ニュージーランドの教育は「変えること」に柔軟なのです。

ニュージーランドも昔は日本と同様、教壇に先生がいて、大多数に向けて講義する「伝統的教育」でした。一九八九年に大改革があり、以降、小学校で「教壇から教師が教えるスタイル」は消えました。今では小学校の教科は三つのみ。「numbers」「reading」「writing」だけで、あとは全部プロジェクトベースドラーニング——生徒が先生と話し合い、問題を見つけ、主体性を持ってその問題の解決に取り組み、先生はそのサポートに徹する学習法——なのだそうです。貫かれているのは、個人の「楽しい」を追求する姿勢で、これも脳科学的に「楽しければ学べる」という研究結果に基づいたものだそう。
ですから、小学校では、

入学式なし
教科書全くなし
時間割なし
宿題なし
塾もテストもない

では何を大事にするのか。

「自主性」
「自信の確立」

を育てることが大きな目標です。

信じられないかもしれませんが、椅子に座って授業を受けるのは、「中学校に入ってから」なのだそうです。もちろん小学生時代の立ち歩きはまったく問題ではありません。

マレーシアのあるインターナショナル・スクールでは、小学一年生は、寝転がって授業を受けてもいいことになっていて、教室の中には「ビーンバッグ」と呼ばれる寝心地の良さそうなソファが置かれていました。

長男が最初に編入した小学校では、授業中に歌を歌う子がいたり、教室を歩き回っている子がいましたが、わりとよくあることのようで、周囲もとくに気にするような雰囲気ではない。先生も、自分の机の上にバナナをぶら下げて食べているくらいでしたから、日本の授業風景とはまったく違っていました。

そんな「ちゃんとしてない」学校では、親が宿題のチェックをしたり、雑巾などの縫い物を頼まれたりすることもありませんでした。

新しい教育は評判が悪い

また、ＰＴＡの活動が辛いという話もあまり聞きません。長男がマレーシアで最初に通った二つのインターナショナル・スクールには、そもそもＰＴＡがありませんでしたし、現在通っている学校のＰＴＡは任意加入なので、入会を強制するということもありません。

さて、ここまでお読みになって、「進歩的教育」に違和感を感じた方も少なくないと思います。ここマレーシアでも「4C」を中心とした新しい教育がすんなり受け入れられているかといえば、実はそうでもありません。「伝統的教育」に近い、マレーシアの公立学校にはいまも根強い支持があります。

「4C」を教えているマレーシアの教育者たちと話していると、よく聞く言葉が、「親の教育が一番大変だ」です。多くの保護者が「教育も社会も変えねば」と言いつつ、いざとなると、実は従来以外のシステムを拒絶する傾向にあるというのです。

例えば、先のヴィンセント・チアン博士はこう言います。

「インターネット上では多くの人が、現在の教育システムでは将来の仕事に備えられないと言っています。誰もがそれをわかっています。なのに、保護者は依然として古いシステムにこだわります。なぜでしょうか」

そこには「恐怖」があると言います。

「保護者は新しいシステムを理解するのが怖いのです。多くの人にとって、怖くないことが重要です。『私の子どもに新しいシステムを試す？　とんでもない。馴染みのあるシステムに行きます』『私の頃と違う方法でうちの子どもを評価するなんて、理解できないし怖い』と」

同様に、日本人の保護者にも、「先進的な教育」は「ちゃんとしていない」と評判が悪いです。

「この学校では教科書を使わない。宿題もポスターを描いたりするばかり。まるで遊んでいるみたいで心配です」

「うちの学校は計算機を使っていますが、こんなので大丈夫でしょうか。家庭でドリルをやらせた方がいいですよね？」

「カリキュラムが決まっていない。受験に対応できるのでしょうか」

と不安になるようです。かつて「ゆとり教育」が厳しく批判されたのと同じです。

それどころか、反対に、規則がどんどん厳しくなっているようです。

私も自分の子どもを公立小学校に入れてみて、あまりのルールの多さに驚きました。どうもこれは全国的な傾向で、「〇〇小学校スタンダード」と言われる、独自のルールが増えているそうです。

「授業中は姿勢よく座る」「掃除は黙って行う」「廊下は静かに右側を歩く」……今、日本の小学校に広がっている「スタンダード」というルールについて聞いたことはあるだろうか。インターネットで検索すると、「○○市スタンダード」「○○小学校スタンダード」などという名称で、持ち物の規定や授業を受けるときに望ましい姿勢など、主に生徒児童に対する「きまり」が数多く掲載されている。

（中略）

「スタンダード」がいつ、どの学校から始まったのか、はっきりとしていませんが、一般的には2007年から小・中学校で実施されている「全国学力・学習状況調査（全国学力テスト）」の影響が大きいと言われています。

学力テストは元々、データを蓄積して学力向上を測るという意図で始められたのです。ところが、学力テストによって学校や自治体ごとに学力がランキングされるようになると、順位や点数に関する学校間、自治体間競争が始まってしまいました。順位が低いと自治体の長や議会から問題視されるため、現場の教員は何とかして児童の学力を上げる方法を探します。そのうちのひとつが「スタンダード」だったと考えられ、秋田県や福井県など、学力テストの点数が高い県で定めている「スタンダード」は、ほかの自治体や学校で積極的に参考にされる傾向がみられます。

（中略）

しかし、本来、教育とは、教員がそれぞれに創意工夫して、受け持つ生徒に合った指導を模索していくものです。そこになぜ、マニュアルが浸透してきているのでしょうか。

原因のひとつとして考えられるのは、今の学校に人的、時間的な余裕がなく、若手教員にとって、現場で働きながらスキルアップを図るＯＪＴ（オン・ザ・ジョブ・トレーニング）が難しいという点です。

（中略）

そうした状況において、最低限の授業の質を担保するために、新人教員向けのマニュアルとして「スタンダード」を活用するのは合理的だと言うこともできます。

（村上祐介「小学校に広がる謎ルール『スタンダード』とは何か〜教員と子どもを縛る教育システム」imidas）

こんなふうに、規則が厳しくなる一方の日本から来ると、一部の海外の教育は「ゆるく」見えるようです。

日本で海外の教育の話をすると、

「そうはいってもルールは大事でしょう？　教室の中を歩き回ったり、授業中に歌を歌っていたりする子がいたら、みんなの迷惑だし、こんな子どもを放置していたら社会が崩壊してしまいます」

というご意見をいただきます。私もずっとそう思っていたので、気持ちはよくわかりました。

しかし、マレーシアの子どもたちを見ていると、彼らが社会を崩壊させているようにはとても思えないのです。

先の渡部教授は「日本の教育は（映画「アマデウス」での）モーツァルトを排除してサリエリを育てる教育だ」とおっしゃっています。まずは社会の規範やルールを守らないと、メンバーに入ることができないというわけです。

日本の学校には「なぜダメなのか」よくわからないルールがたくさんあります。「よくわからないけど、ダメなものはダメ」に従い、「反抗しない」ことを学びます。

一流大学を出た人は、「無意味な何か」に「耐える」ことができる人です。それは「受験勉強」や「部活動」かもしれないし、「ＰＴＡ活動」なのかもしれません。

では、「ちゃんとしていない」環境で育つと社会はどうなるのでしょうか。

たとえば、「学校で歌っている人を放置するとどうなるのか」を考えましょう。

私が働いていた外資系企業でも、歌いながら仕事をするマレーシア人の同僚がいました。

そのとき、「ああ、そうか。学校で歌っていた人は、オフィスでも歌うんだな」と気がつきました。

ちょっと考えられないと思うかもしれません。

しかし、日本でもクリエイティブな企業にはそういうところが案外あるものです。私がいた雑誌の編集部には、歌いながら仕事をしている人、音楽を聴かないと集中できない人、会社になかなか来ない人、いろいろな人がいました。

この人たちは、先生の言うことをお行儀よく聞く力はないかもしれません。だからと言って仕事ができないわけではないのです。どちらの人も社会に必要だと思います。

そして、マレーシアのグローバル企業で働いてみると、マレーシア人（マレー系、インド系、華人）、フィリピン人、バングラディッシュ人、イラン人と多国籍です。金曜日にはお祈りに行くイスラムの人もいれば、オフィスで踊り出す人、家族の誕生日だからと休む人、イヤホンで音楽を聴きながら仕事する人と、さまざまです。

そして実際のところ、グローバルリーダーというのは、多種多様な人びととコミュニケーションを取りつつ、まとめる仕事です。マレーシアに来る子どもたちが最も学ぶのは、こうした人びとと直に接する力です。

エクスクルーシブ教育の弊害とは

マレーシアのインターナショナル・スクールでも、ADHD（注意欠如・多動症）など何らかの発達障害を持っている子どもが多く学んでいます。

「インクルーシブ教育」（障害の有無にかかわらずどんな子も共に学ぶ教育）では一緒に学ぶことが当たり前で、特別扱いはされないのです。

マレーシアに来てから私は、障害のある子どもを学校教育で「仲間はずれ」にしない方がいいと思うようになりました。

二〇〇六年に国連で「障害者の権利に関する条約」が採択されました。

あらゆる障害者の尊厳と権利を保障するもので、「障害者が障害に基づいて一般的な教育制度から排除されないこと及び障害のある児童が障害に基づいて無償のかつ義務的な初等教育から又は中等教育から排除されないこと」（第24条 教育）とあります。二〇二二年九月には、国連の障害者権利委員会が、「特別支援教育をやめるように」と勧告しています。

ハフポストの記事「『障害者は分離され、通常の教育を受けにくくなっている』国連、日本政府に〝分離教育〟やめるよう要請」はこう始まります。

「長く続く特別支援教育により、障害児は分離され、通常の教育を受けにくくなっている」

国連の障害者権利委員会は9月9日に発表した日本についての報告書でそう指摘し、障害児を分離している現状の特別支援教育をやめるよう日本政府に強く要請した。

つまり日本の教育現場がエクスクルーシブすぎるというわけです。しかし、現場の先生たちの多くがインクルーシブ教育に消極的であることが、ある調査（Japanese Schoolteachers' Attitudes and Perceptions Regarding Inclusive Education Implementation: The Interaction Effect of Help-Seeking Preference and Collegial Climate 2021）の結果わかっています。原因として、先生の余裕のなさ、超過労働とメンタルヘルスの問題を挙げています。「仕事が多すぎて余裕がない」先生の姿が浮かび上がってきます。

むしろ、低年齢化する受験戦争や先の「スタンダード」により、「エクスクルーシブ教育」が加速しているようです。

エクスクルーシブとは、「仲間はずれにする」「排他的」「閉鎖的」という意味で、障害者が一緒に学ぶ「インクルーシブ教育」の対義語です。

小さい頃から、『できる子』だけを選別して育てたい」とすると、何が問題なのでしょうか。

先のヴィンセント・チアン博士が小さい頃からエリートを選抜するエクスクルーシブ教育の弊害を、架空の生徒の「ジョン」の喩え話で教えてくれました。

「ジョンは小さい頃から『学業優秀で、お金持ちばかりが集まる』小学校に通っています。障害のある人は通えません。彼は『自分のグループは能力や財産があり、他の人たちより優れているのだ』と強く意識する環境で育ちます。みんなが『よりリッチ、よりパワフルに、より上へ』を目指すため、競争がいっそう激しくなります。

ジョンは、他の人との違いについて意識するようになり、『特権意識』が強くなっていきます。この環境では、『差別』が自然になります。これがのちに社会に出てから、ジョンの家族や同僚に対する見下しにつながり、多くの人間関係の問題を生み出します。精神的な疾患になることもあります」

「自分たちは他人より優れているから恵まれた環境を与えられている」と感じる環境にいることが、後々の問題につながる――というのです。

チアン博士は、エクスクルーシブ教育には、大きく三つの問題があると言います。

1　自尊心が外部依存となる

「できる子だけ選別して教育する環境で育った子は、運命は自分で変えられないと考えます。学力・運動能力や親の財力で人が区別されたり差別されたりするのを見続けると、他人が自分の環境を決定するのだと思い込むようになります。自分で運命を変えるのは無理だからと周りの人に自分の運命を変えてくれることを期待するようになるのです。

2　人より有利になることへの「信じられないほど高い期待」

エリートを選別する環境にいると、成功へのプレッシャーが信じられないほど強まります。優秀な人ばかりの中で、さらにトップへと考えるからです。

3　他人との比較によって価値が決まる

ジョンのような子どもの能力は、常に他と比較して測定されます。

たとえば、成績トップに向けてがんばらねばプレッシャーを感じるかもしれないし、魅力的であり続けないといけないと感じるかもしれません。こういう環境で育った子は、不親切で、非協力的な人間になるのです。

いかがでしょうか。

私は「勝ち組・負け組」といった言葉が流行り、他人の職業を「底辺」と呼んだり、恋愛や容姿まで「偏差値」で測ろうとする社会が、「ジョン」のような考え方を生み出していると感じます。

オープンマインドの重要性

一方、よく聞くのが、インクルーシブ教育における「オープンマインド」の重要性です。

「なかには、普段は特別支援教室で学び、ランチタイムや体育の時間だけ普通級で学ばせるところもあります。でも、本当のインクルーシブ教育はそうではないのです」

と言うのは、マレーシアの国際バカロレア（ＩＢ）の学校に、ダウン症のお子さんを通わせているリー・シェンさんです。娘のイシャさんは、医師の勧めでインクルーシブな教育を受け、二〇二二年、学業トップ賞を取りました。

「イシャは粘り強いタイプで、以前も二つの賞をもらっています。この学校の目標は学業で『他人に勝つこと』ではないのです。もっとホリスティック（全体的）なアプローチをしています。たとえば、ＩＢの十の学習者像には『ケアリング』（思いやりがある）が入っています。思いやりのある行動をした子は『グリーンレター』をもらって評価される。

イシャが積極的になったのは、先生や子どもたちが彼女を揶揄ったり、いじめたりしないことに気づいたからでしょう。周りがオープンマインドであれば、他の子と同じように娘のことをありのままで見てくれることがわかりました。先生たちは障害者教育の専門家ではないのですが、障害名で特別扱いするのではなく、『すべての子どもの特性を見よう』とします。それだけで、問題は解決されると感じます。

娘に私が『あなたはダウン症だから』と言うと『そう、私はダウン症だよ』と答えるけれど、本当に理解しているかどうかわからない。息子（イシャの双子の兄）ですら、『イシャはダウン症だけど、それが何か？　彼女はいろんなことができるし、とてもうまくやってるよ』みたいな感じなのです」

リー・シェンさんは、インクルーシブ教育は障害のない子にも良かったと言います。

「息子の方はナーバスでセンシティブ。学校に入学した当時はただただ心配し、毎日泣いていたんです。でも学校が彼のような子も認めてくれた。ノーマルなキッズも特別に扱ってくれる。今では、息子もとても楽しんでいます。私はこういう学校がよかったんです。

最近では『新しい種類のダイバーシティ』と呼ばれるニューロ・ダイバーシティが注目されていますよね。文化、人種、宗教だけではなく、脳も違う働きがあると。例えば、イシャはゆっくり学ぶ『スローラーナー』です。ですから学校は（ダウン症児としてではなく）ただ、『この人はスローラーナーだ』と認識すればいい。だからと言って、彼女が学べない、ということではないのです。彼女は非常に高いＥＱ（Emotional Intelligence Quotient＝心の知能指数）があり、感情的なシチュエーションを読み取るのがうまく、非常によく理解し、社交的で、周囲と違う考え方で周りを驚かせることがあります。『教えられない』わけじゃないのです。魚に木登りを教えられないですよね。彼女は抽象的に教えても『それが自分になんの関係があるのか』となってしまって理解できないのですが、実生活――例えば、ケーキやピザを例に出すと理解できるのです。ところが、他の子にもこういう方法で学んだほうがいい子がいるのです。実際に、彼女の先生は『イシャを教えた経験は他の生徒にも活かせます』と言っています」

インクルーシブでオープンマインドな教育には、課題もあります。一人ひとりを見るような教育は、ある程度、クラスの人数が少なくないとできません。

また、キーとなるのは、教員自身への教育です。

先のヴィンセント博士は、

「教育システムの最悪の部分は、教師が大学を出たら、学ぶのをやめてしまうこと」と言っています。そのため、彼の学校では、教員全員が働きながらさまざまな教育を受け続けています。すべての教師に学士号、修士号、またはPh.D.プログラムのいずれかを受講することを義務付け、IB教育を学ぶためのカレッジも用意されており、奨学金制度を使えます。こうした学校では、教師の時間的・経済的な負担も相当なものになります。

「私たちは、教師とはその職務に真剣に向き合うべき職業であると信じています。そのため面接では、教育に真剣に取り組んでいる教師を選びます。ほとんどの学校は生徒の教育に重点を置いていますが、私たちは生徒ではなく〝教師を教える〟ことに焦点を当てています。なぜなら教師が良ければ生徒を導くことはさほど難しくないからです」

「白黒思考」による弊害

「ほとんどのことに答えがない」と理解すると、生徒たちは「勝ち組」「負け組」のような単純な比較を控えるようになります。そこではマウンティングも起きにくいです。

先のヴィンセント・チアン博士は「正解がひとつであることの問題」(one right answer problem)を指摘します。

「いまだに多くの学校で、子どもたちは正しい答えを探して育ちます。正解はただひとつ。一般的な試験では、正解を書かないと点数がゼロです。『半点』なんてありません。ほとんどの公立学校や一部のインターナショナル・スクールが行っている方法ですが、こういう環境で育った人は常に『正しい』か『正しくない』かで考え、『灰色』があることを学びません。

しかし人生のほとんどのものは白か黒かではなく、その中間のどこかです。何事にも正解があると学んだ子どもたちは、大きくなっても常に『正しい答え』を探しているので、何も言えなくなってしまうのです。正しい答えなどないのだから。オープンマインドを学んだ子どもたちは、自分の権利を主張しますが、それを他人に押しつけません」

批判的思考やオープンマインドを学んでいる子どもたちは、物事のほとんどはグレーゾーンにあり、単純な白黒では決められないと知っています。

「正解がない教育」を受けた人が増えると、意見を押しつけないようになっていく。こうすることによって、社会が柔軟になっていくのではないでしょうか。

さらに国際バカロレアのディプロマ課程になると、学生たちは知識そのものがいかに曖昧か、さらには「知る」ということがいかに難しいかを徹底的に学びます。すると、自然と複雑なものをすぐに単純化する思考を避けるようになっていくでしょう。

一方「正解」や「勝ち負け」をつきつめると、何でもかんでも「レベル」「ランキング」で考える人が増え、挙げ句の果てには「公立と私立どっちが上？」「千代田区と中央区どっちが上？」「マンションの高層階と低層階どっちが上？」といった具合で格付けし、マウントも取り合ったりしています。物事を断定的に言うのは分かりやすいし、自分の頭で考えなくても済むので面白く見えます。

また「親日」や「反日」という単純なレッテルも危ういです。

「マレーシアは親日国だから、国民全員日本人のことが好きなはず」と主張する方がいます。そして、「親日だと思ってマレーシアに来たのに、田舎に行ったら『植民地時代のことも知らないのか』とお年寄りから説教された」と落ち込んでしまったりします。

「日本のアニメの大ファンです」と声をかけられることもあれば、「私のおじいちゃんは戦時中、お辞儀をしなくて日本人に殴られた」などと言われることもあります。ひとつの国の中にいろいろな意見があるのは当たり前で、一枚岩ではないのです。日本でも同様で、政治的な立場が右から左までさまざまな人がいます。ひとつの国をひとつの考えでまとめてしまうのは非常に危険です。

マレーシア人はよく「ジャッジメンタルになるな」と言います。

ジャッジメンタル（Judgemental）とは、「一方的な判断をする、性急に判断を下す」みたいな意味ですが、「決めつけ思考」とでも言いましょうか。

「あの人はジャッジメンタルだね」と言うときは、ネガティブな意味です。

では、なぜジャッジメンタルが悪い意味になるのでしょうか？

長男が先生から教わった作家ウエイン・ダイアーの名言にこんなのがあるそうです。

“When you judge another, you do not define them, you define yourself”

（他人をジャッジしたとき、あなたが定義しているのは他人ではなく、自分自身である）

他人を批判したら、事情が変わったときに、自分の選択肢が狭まります。

たとえば、普段から無職の人を「ダメだ」と決めつけていたら、自分が仕事がなくなったり、何かの事情で働けなくなったときに、自分の言葉がそのまま自分に返ってきてしまう。

生活保護の人を馬鹿にしていたら、自分が事故や病気で働けなくなったとき、自分を責めるようになります。

ジャッジメンタルにならないことで、自分を許せるようになるのです。

今後は、あるがままに「物事をジャッジしないでおく」リテラシーが必要になるかもしれません。

マレーシアには、多数派の穏健派イスラム教徒、イスラムのシャリア法を支持する人びとから、ヒンズー教徒、キリスト教徒、仏教徒、シク教徒など、さまざまな民族・宗教の人が住んでいます。この世界では、いろいろなことで宗教ごとに結論が異なります。お互いが視界に入らないよう、触れ合わないようにして生活しているなと思うことすらあります。

マレー語の先生に紹介されて見たマレー語ドラマ「*Nur*（ノル）」のテーマがまさに「（心の中にある）本能的な差別心をどうしたらいいか」でした。こんなセリフが出てきます

私たちはたまたま裕福な家庭に生まれて、運が良かったかもしれない。けれども、貧しかったり、障害があったりすることは、そんなに罪だろうか？　そのために罪を犯したとして、それは悪いことなのだろうか？　神は裕福な人間しか救わないのだろうか？

（筆者抄訳・原文はマレー語）

ドラマでは「あらゆる差別反対」と主張するのではなく、偏見から他人をジャッジすることの危険性について語っていました。このドラマを通じて、東南アジアに住む人びとがどう思考しているのかを知るきっかけになりました。

答えがひとつだと思っていたら、実は答えはたくさんあって、どれを選んでもよかった、みたいな感じになるのです。

「他人を放っておく」ことの重要性を学ぶこと

正解がないことに気づくと、いちいち優劣でものを考えることが減り、他人をジャッジすることもなくなります。

マレーシアに来て私が学んだのは、「他人といちいち比べなくていい」ということです。

教育も同様です。公立学校に入れる家もあれば、ホームスクールを選択する家も、インターナショナル・スクールを選ぶ家もあります。選択科目もシラバスもバラバラなので、単純に成績を比べることが難しくなります。偏差値も優劣もないのです。

有名進学塾もないし、値段の高いインターナショナル・スクールを羨ましがる声も聞きません。

こんなふうに、教育にすら「正解がない」と考えると、子どもによって受ける教育が変わってきます。「A学校とB学校のどちらがいいのか」と比較で考えるのではなく、「その子にそのとき向いた学校があるだけ」です。

そもそもが違うものを、比較しても仕方ないのです。

マレーシアでは転校が非常に盛んです。途中で「違うな」と思ったら思いきって学校を変えます。学校側に空きさえあれば、途中での入学は一般的で、転校先を考えたい人のための「インターナショナル・スクールフェア」「私立学校フェア」が年中開催されていて、希望の学校の担当者と話すことができます。学年途中での転校も一般的です。

マレーシアの公立学校と英国式学校はシステムが似ており、中学以降に科目数が増え、数十科目から選択します。学校によって提供する科目が異なりますから、自分が学びたい科目がなければ、転校することもあります。中学時点での科目選択はその後の進学先にも関わってくるため、「自分で自分の道を選択する」訓練につながります。

高校生になると、どの教育方式でも勉強量が増えますが、選択科目も目指す国も異なるため(マレーシアは海外留学が非常に盛んです)、単純にどの学校が良いかといった比較ができなくなっていきます。

「勝ち組・負け組」のような言葉を聞くこともなく、生徒たちは淡々と自分の道を選んでいます。「有名な大学」に行くことだけが人生の選択肢ではないと、よく理解しているのだと思います。起業を志す生徒も非常に多いです。

日本の教育も変わりつつあります。

文部科学省は「個別最適化された学び」を提唱し始め、また国際バカロレアなどを取り入れる高校が徐々に増えています。

近年は、各種インターナショナル・スクールの開校ラッシュのようで、英国のパブリックスクールの日本校から、インドなどのアジア系のインターナショナル・スクール、各種オルタナティブ・スクール、通信制の学校なども増えてきました。学校に行かないで学ぶホームスクーラーの認知度も、徐々に上がっているようです。もちろん、「従来の受験システム」に邁進していく人も大勢います。

多くの課題はあるものの、こうして「答えがない時代」に向かっているのではないでしょうか。

そしてここで重要なのは、他人の選択について口を出さないことです。理解できないまま放っておくことも時には必要なのです。よく「Mind your own business」(自分の仕事に集中せよ)と言われますが、「(気に入らない)他人を放っておく」というのも、多様性を認め合う社会を生きる上での知恵なのだと思います。

第4章

「まぁいっかの人間関係」が社会を豊かにする

第一章では、「幸福度」が高い東南アジアの国の人たちのデータを紹介しました。日本よりずっとGDPが低く、貧富の差も激しいのに、人びとの表情が明るいのはなぜだろう。マレーシアに来た当初、私はそのことが不思議で仕方ありませんでした。

とくにティーンエイジャーの子どもたちが精神的に落ち着いているように見えるのです。マレーシアの親に「日本では子どもが母親に『うるせえババア』なんて言ったりします」と話しても信じてもらえないことがあります。

「まあ、いいよ」のある社会

第一章で紹介した特別支援教育に深く関わってきた三好健夫さんは、

「マレーシアでも自閉症など、発達障害の子どもたちを見てきましたが、日本人と比べてとにかく障害がマイルドというか、穏やかなのです。もちろん、飛び跳ねるなどの自閉症特有の行動は見られるけれど、奇声を上げて街に出かけられないとか、パニックになったり、自傷行為などの『どうしたらいいんだ』といった状態がほとんど見られないのです。この違いは何なんだろう。どうして同じ自閉症で違うんだろう、とずっとここ十数年考えてきました」

と言います。そして、

「その答えは、社会の許容量の問題ではないか。多国籍文化だから、マレー、中国、インドなどの文化が混じっていて当たり前。自閉症もひとつの文化だという捉えかたもあり、これも社会が受け入れてくれている。こうした多国籍文化と、多少の違いは気にしない社会の優しさにあるのではないか」

と分析しています。

「ネバーマインドラー（まあいいよ）」

「Tak apa apa（タッアパアパ。何でもないよ）」

思い返せば、日本社会も昔はそうだったかもしれません。

私が育った一九七〇年代の東京は今よりもっと雑然とした都市でした。電車にはみんな我先にと乗ろうとしていましたし、車両のシートとシートの間にはよくゴミがねじ込まれていて、網棚にはスポーツ新聞が置き捨てられていました。道端には嚙み終わったガムやどこかの誰かが吐いた痰が落ちていました。その辺の空き地で探検ごっこをやっても、道路にチョークで何か書いて遊んでいても、大人たちもさして気にしていませんでした。

それがいつのまにか人びとは電車やバスに乗るときは整列乗車になり、公共の場におけるマナーは格段に向上していきました。社会全体が真面目に「ちゃんと」なっていったのです。

外国人はこうしたマナーの良さに感嘆してくれます。しかし、中にいる私たちには、厳しすぎるマナーについていけない人も出てきます。

「家族が大事だ」というマレーシアの人びと

人間の幸福の源になっているものは何でしょうか。

第一章で取り上げた幸福度調査ではマレーシア人の幸福度には、「家族、宗教と精神、健康」が重要な要素となっています。

「家族」「宗教」「健康」——この三つは、他の調査結果や多くのマレーシア人と接してきた私の実感とも合致します。幸福度を決める要素がお金とはあまり関係ないのも興味深いです。

実際「家族」を大切に思っている人がとても多いのです。日本で「家族が大事」と言えば、女性が「三界に家なし」と言われてこき使われたり、男性が「家を継ぐために」仕事を選べなかったりすると想像する人がいるかもしれませんが、マレーシアの人たちは、心の底から家族が大好きなようです。

マレーシアで語学学校を経営する日本語教師の西尾亜希子さんが、

「もしお金と休みがたくさんあったら、どこに行きたいですか？」

と授業で訊いたら、マレー系の生徒ほぼ全員が、

「実家に帰ります」

と答えたそうです。

日本で会社員をしていた頃、仕事のストレスを解消するためによく旅行をしました。旅が終わりに近づくと、「あと一日で終わりか。小さいマンションに戻って、明日から満員電車に乗って会社か。嫌だなあ」と暗い気持ちになりました。

私にとって、日常は「苦痛」で、旅は「癒し」を与えてくれる特別なものでした。だから私は「癒し」を求めて、旅とは比べものにならないとわかっているにもかかわらず、身近な場所へ旅の真似事をしました。買い物をしたり、マッサージに行ったり、飲みに行ったりしていました。

そして、いつもお金が必要でした。お金がないとストレスフルな日常をがんばることができないと思っていたのです。

そんなストレスフルな世界からマレーシアに来た私が、マレーシア人と初めて一緒に旅行したときのこと。旅行が終わって、自分たちの住む家に戻ってくると彼らが言いました。

「やっぱり自宅はいいなあ。ホーム・スイート・ホームだよ!」

とうれしそう。

「お金を遣うこと」が唯一ストレスから解放され、癒される方法だと思っていた私にとって、家族が待っている「家」こそが「癒し」だという彼らの幸せそうな姿は意外でした。

あるときTwitterで「なぜ日本とマレーシアで家族の関係がこんなに違うのだろう?」とつぶやいたところ、日本語がわかるマレーシア人から、

「家族以上に大事なものってあるの?」

「逆になぜそうなるのか、そう考えてしまうということの方がわかりません」

というコメントが届きました。

映画も家族と、旅行も家族と、何をするにも家族と。それも大人数でぞろぞろ出かける。

そんな人たちが国中にたくさんいます。

これに対し、日本で「家族がなにより大事」という人はどのくらいいるでしょうか。日本では、「家族」よりも重視されているのが「お金」です。「家族」は、経済的に結びついていて「お金」があることが幸福だと思う傾向が強いと感じます。

もちろん、マレーシアでも「お金」は非常に大事なのですが、人間関係をなによりも大切にしている人が多いのです。

「不機嫌な人」がいるのが当たり前の家庭

外から日本社会を眺めて気がつくのは、個人よりも、学校や会社といった「組織＝システム」にウエイトを置いていることです。

これは家庭でも同様です。

昭和の時代には「地震・雷・火事・親父」のことわざのように、家族に怒鳴りちらし、ちゃぶ台をひっくり返す父親像がありました。

一九七〇年代には、三船敏郎を起用した「男は黙ってサッポロビール」というCMが大ヒットし、「飯・風呂・寝る」だけで夫婦の会話を済ませてしまうと揶揄（やゆ）されました。家庭の中に「不機嫌な人」がいるのは当たり前だったのです。

また、姑や小姑にいじめられる「嫁」をテーマにしたドラマも話題になりました。「家」というのはもともと「我慢するところ」で、「楽しいところ」ではなかったのかもしれません。そういう時代ですから家族同士の対等なコミュニケーションはあまり重視されていませんでした。

女性側もそれに対し、「亭主元気で留守がいい」「お金さえ入れてくれればいい」というようになっていきました。

シンガポールのリー・クアンユー元首相は、『One Man's View of the World（未翻訳）』で、日本のこの問題を指摘しています。

しかし、女性たちが旅行し、世界の他の地域の人びとと交流し、働く自由と経済的に自立することを味わうにつれて、彼らの態度は劇的かつ不可逆的に変化しました。たとえば、シンガポール航空で働く日本人女性の中には、シンガポールの客室乗務員と結婚した人もいます。

彼らは、シンガポールの女性がどのように生きているか――威張って命令しまくる義理の親や夫たちから離れるライフスタイルがあること――を知りました。日本社会は、

女性をできるだけ長く男性に経済的に依存させようと最善を尽くしましたが、失敗しました。（筆者抄訳）

バブルの時代には女性が男性に結婚相手の条件として求めた「高学歴・高身長・高収入」を表す頭文字を取って「3K」という言葉が流行りました。

こういった時代を経て、家族が精神的なつながりというよりも、経済的な基盤を共にする共同体として認識されるようになっていったように見えます。

最近ではずいぶん社会も変化したようですが、日本では、家事や育児でもいつもの「ちゃんと」を発揮しています。

日本の家族がマレーシアに来て、いざお金を払って現地のメイドさんに掃除を頼もうとすると、「質が悪い」「ちゃんとやってくれない」などさまざまな理由で「自分がやった方がいいから」「ここは譲れない」と雇うのを諦めてしまうケースが多いのです。

ある程度テキトーに考えないと、他人に物事を頼めなくなってしまいます。

家庭内でも「夫の皿洗いが雑」などと文句を言って喧嘩になってしまい、「ちゃんとしている」「いない」で争っている人もいます。これでは、お互いに家庭で安らぐことは難しいかもしれません。

また日本には、孤独を紛らわせるためのサービスが山ほどあります。

お金さえ払えば、相手の本音を気にせずに、理想的な相手と疑似的な関係を築くことができたりします。そういったサービスをたくさん使うことで心が癒され、幸せを手に入れたと感じられる人が少なくないため、マレーシアの人のように「家族が大事」とはならないのかもしれません。

社会に蔓延する「怒り」を正当化する人びと

日本にいたときは「当たり前」だと思っていたことが、マレーシアに来てそうでないと気がつくことがあります。

日本に一時帰国するたびに、街で怒っている人を見かけます。

反対に、マレーシアに来てから十年、実はまだ街で怒りを爆発させている人を見たことがありません。道や駅などで誰かの怒声を聞くことも、クレームをつけられている店員さんを目にすることもほとんどないのです。

最近マレーシアに越してきた友人も、

「ここには不機嫌な大人が少ないですね」

と話します。

マレーシアではよく「人前で他人を怒ってはいけない」と言われます。宗教の影響もあるでしょうが、人前で怒りを表すと「感情のコントロールができない人」と見なされます。怒りによって人を動かそうとすると自分が損をするのです。


似たものに、「叱られるのが当たり前の文化」があります。

日本のカスタマーサービスで働いていたとき、「怒りまくるお客さん」にたびたび遭遇しました。

怒りまくる顔ぶれは毎回同じで、「言葉遣いがなっていない」「説明の順番が間違っている」などと文句をつけます。

この人たちがなぜ怒っているのか。

その理由を聞くと、決して変な人たちではないのです。サービスが自分の求める「ちゃんとした基準」に達していないことに怒り、そのミスを指摘して訂正して教育してあげなければ、という正義感に発していることが多いです。あくまで善意から出ているコミュニケーションの一種なのです。

だんだん名前が知られてきて、「またこの人か」となってくると、スタッフも面倒を避けようと受け答えが冷たくなっていきます。誰も電話を取りたがらないので、「話を聞いてもらえない」ことが余計彼らをイラつかせてしまうのかもしれません。

一方、マレーシアで顧客対応の仕事をしていたとき、怒鳴ったり嫌味を言ったりするお客さんに出会ったことは記憶にありません。

この違いは何かというと、日常で家族とのコミュニケーションに満足している人が多いことと、人種や宗教によって正しさが異なるため「ちゃんとしていること」をそこまで求めないからではないかと思います。

むしろ怒っている顧客は後回しにされたり、避けられたり、無視されたりと、いいことはないのです。中には「あの顧客はいつも怒鳴るので、この業界では誰も仕事を受けたがらない」と言われたこともあります。「これだけは譲れない」が多い人ほど、この罠にハマるのだと思います。


もうひとつが上下関係の影響です。

中学時代に、先輩に挨拶しなかったり、うっかり目が合ったりすると、「生意気だ」「ガンをつけた」とか言われて怒られたり意地悪される。けれど、この先輩たちも、自分より年上の先輩にはやたら腰が低い。こういった上下関係が大人になってもそのまま社会に持ち込まれてしまい、怒りにつながるのかもしれません。

もちろん、イジメはどの社会にもあるのですが、日本社会の特徴は、大人社会も子ども社会と同じように機能していることだと思います。

よく考えたら、学校から社会が新卒一括採用のため一直線でつながっているから当然なのです。同じことをしても、自分が高い地位にいれば誰からも、「叱られない」のです。

そのためか「怒りを正当化する人」もよく見かけます。

「怒りを正当化する人」は、「叱られて俺も一人前になった」とか、「躾のつもりだった」とか言います。一九八〇年代に死亡事件を起こし、社会問題化した戸塚ヨットスクールのようなスパルタ式の「しごき」をわざわざお金を払って子どもに受けさせる親もいます。

叱られた方も、「育ててもらった」「怒られたから今の自分がある」と自分を正当化します。私も少しその気があるように思います。

「ダメ出し文化」について

日本には「叱られることが当たり前な文化」に加え、「ダメなところを探す文化」もあります。

長男を日本の公立小学校からマレーシアのインターナショナル・スクールに入れたら、叱られてばかりだったのが、褒められるばかりになりました。ダメなところを指摘するのではなく、良いところを見つけてくれる教育が、長男には合ったのだと思います。

演出家・作家の鴻上尚史さんは著書『ロンドン・デイズ』でイギリスと日本の演劇文化の違いに触れています。


英語では、演出家が芝居が終わった後にする注意を「ノート（note）」と言う。ノートだから、いいところも悪いところも言う。

日本だと、これを「ダメ出し」という。ダメなところを言うのだ。僕はこの言葉が、じつは大嫌いなのである。ネガティブだけを語るという世界観が大嫌いなのである。

日本人が、精神的に強い民族なら、ネガティブなところだけを、まず語るという世界観も通用するだろう。さんざん、悪いことを言われても、平気で、明日も生きていけるというのなら、問題はない。しかし、僕には、どうも、そうだと思えない。


これは、ひらがなや漢字の「とめ・はね・はらい」や、「計算の順番を守らせる」といった小学校の低学年からの教育によく表れていると思います。

答えはひとつという教育を受けて大人になるので、自然と「ダメ出し文化」になっていくのではないでしょうか。

すると私のような、ある程度鈍い人間には耐えられても、他人の目を気にする繊細なタイプの人間には厳しい社会になってしまいます。

ミスが多い人間は寛容な社会の方が気楽

ミスや失敗に対して「厳しい日本」と「緩いマレーシア」。どっちの社会が良いか悪いかではなく、社会のあり方がまったく違うのです。

私は、どちらかというとマレーシアの社会の方が不便だけど生きるのには楽だなと感じます。なぜなら、私自身がミスばかりする人間だからです。

大事な会合の日付を一日間違えた上に、一時間以上も遅刻してしまったことがあります。恐縮しまくる私を主催者（しかも初対面）の女性がニコニコと笑顔で抱きしめてくれ、

「来てくれてよかった！　迷子になって来られないかと思った」

とあたたかい言葉をかけてくれました。

スポーツジムで、トレーナーの先生が遅刻してきたとき、現れた瞬間に「拍手」が起きました。「よかった、これでクラスがキャンセルにならないで済む」とみんな喜んだのです。

断水やら電車の遅れといった不便なことも多々ありますが、「どんな状況になっても笑顔になれる人たち」を見ていると、「物事は捉え方次第でこんなにも気楽になるのか」と感じるのです。逆に、どんなに便利で快適な社会だとしても、人が責められている状況を

日常的に目の当たりにするのは、「自分も間違えたらダメなんだ」と思い、心が削られていくようで辛くなってしまいます。

誰でも間違えるのは当たり前、誰もあなたを責めないから大丈夫。

そういうリラックスした社会が、人びとに与える安心感の大きさに気づかされるのです。

マレーシアのような多様な文化の社会で生きている人びとは、「運が大きな要素である」「相手の気持を完全に理解することはできない」ことを肌で知っています。

生まれながらに宗教が決まっているムスリム（イスラム教徒）の人たちや、有史以来ずっと戦争が続いている国で戦士として育ってきた人たちの考えを理解することは本当に難しい。お互いに理解できないとわかっているので、たとえ自分の考え方と違っても、「そういうものかな」と受け入れることができる。世界水準の「新しい教育」と同じで、「白か黒か」をはっきりさせるのではなく、あくまでも「答えを決めつけない」というスタンスなのです。

中には、相手の気持ちや考えを勝手に想像してあれこれと言ってくる人もいます。「日本人はこうでしょう」と決めつけられるのは、あまりいい気持ちがしないものです。

自分の価値観を他人に押しつけないこと。そこで初めて「あなたはどう思う?」とコミュニケーションが取れるようになるのです。

人に厳しく、寛容でない社会は、「ちゃんと」「きちんと」を要求します。しかしその分、自分の居場所がなくなってしまう人が増えるのです。日本ももう少しミスや失敗に対して寛容になると、幸福度が上がる社会になるのではないかと思います。

「迷惑をかけてはいけない」が社会を息苦しくする

日本の特徴的な価値観が「他人に迷惑をかけるな」ではないでしょうか。

学校でも家庭でも子どもの頃から、「まわりに迷惑をかけないように」と教えられます。私のかつての「行動原理」でもありました。

こういう考え自体は決して悪くないと思います。

私も日本人と一緒にいると、こちらに迷惑をかけないように配慮してくれているのだろうなと感じることがよくあります。海外のホテルなどでは、日本人のお客さんは居室を綺麗に使う「良いお客さん」という評価が定着しています。気を遣ってくれること自体はうれしいものです。

ただ、この傾向が強まると、とくに子どもや障害のある人など、社会で弱い立場の人たちに「迷惑をかけないよう我慢すること・させること」が当たり前になります。

子育て真っ盛りだった当時、「ボール遊び禁止」「大声を出してはいけない」という公園がありました。保育園や児童相談所をつくる話が持ち上がると近隣住民が反対運動を起こしたり、交通機関でベビーカーを「邪魔だ」と蹴られたことがニュースになります。日本では「子どもの声は騒音だ」「集まると静かな生活が乱される」と思われているのです。

子どもを連れて外出すると、「うるさい」「静かにしろ」「連れてくるな」といった圧力を感じる人が多いようです。

マレーシアではむしろ、人間なんて「人に迷惑をかけて当たり前」「迷惑をかけることが親しさの証拠」と思われているくらいです。子どもが大好きな大人も多く、子どもが歓迎されていることがわかるため、日本で子育てしていたときに感じたプレッシャーがありません。

「どうにもならないこと」の当たり前

実は私も、マレーシアに来た当初は、東京に住んでいた頃と同様に年中怒っていました。マレーシア人たちから「アングリーバード」とあだ名をつけられたほどです。

以前は、「喜怒哀楽とは自然な感情なのだから、怒りを持つことは当然。健康な感情なのだ」と思っていました。私は「時間に遅れること」が嫌いで、遅刻する人がいるとイライラしていました。ビジネスの場でも、他人を怒ったり叱ったりするのは「当然のこと」であり、「良いこと」でした。だから「迷惑をかけること」は悪いことだと教えてあげるのは「当たり前」と考えていました。

ところが、マレーシアでは必ずしもそうではないのです。

仕事の取材旅行でも、予定表はあってないようなもの。集合時間はその都度、WhatsAppなどのグループチャットでシェアされますが、五分くらいのバッファがあるようです。集合時間に行っても誰も来ていないこともありますし、全員が集合してからみんなでお茶を飲んで、一時間ほど親交を深めてから出発することもありました。

金曜日の午後はイスラム教徒の多くが礼拝に行くため、仕事は中断されます。たとえ旅行中でも、お祈りのために途中でバスを止めるのです。

三泊四日だったはずの旅程が、突如一日短くなったこともあります。理由は「訪問先の都合により」です。詳しい説明もありません。予定変更は一時間くらい前に知らされ、「ではここで解散!」と全員が突然バスから降ろされたのです。こんなことになっても、文句を言う人は誰もいませんでした。

銀行のシステム障害でお金が引き出せなくなったり、交通渋滞で車が動かなかったり、大雨で道路が冠水して進めなくなったりします。高速道路のシステムが故障して料金所が大混雑したこともありました。自分ではどうすることもできない状況にたびたび遭遇します。

しかし、そこで文句を言って怒り出す人は少数です。なぜなら、「ほとんどのことは運」だと多くの人が知っているから。

生きていれば、誰かに迷惑をかけることもあるでしょう。でも、怒ったり叱ったりして、負の感情を押しつけなくてもいい。答えがひとつではないことを理解している人が多く、「まあいいか」があふれた社会は楽なのです。

ボランティア現場のざっくりマネジメント

二〇二一年、マレーシアでは洪水による大きな被害が出ました。各地でボランティア活動が行われ、私は三日間、近所にあるシク教寺院に行ってきました。シク教はインドとパキスタンにまたがるパンジャブ地方中心に広まった宗教で、マレーシアにも信徒がいます。

この寺院は無料食堂をやっています（お金持ちでも、異教徒でも無料食堂でご飯を食べて良いのです）。このときは洪水被災地への食事や物資の運搬をしていて、二百人もの人が集まったのですが、私の疑問は「これだけの大人数をどう動かしているのか」でした。

まず、インターネットでの募集の案内文はこうでした。

料理やパッキング、運搬を手伝えるのなら、8時以降に寺院に来てください。
4WDを持っていて、食事の配布を手伝えるのなら、9時以降に来てください。

これだけです。年齢や性別などの条件の項目がない。

日本に住んでいた頃は「なんの技術もない私がボランティアに行ったら迷惑かな」となんとなく思っていました。ところが、ここではそんなことはないらしいのです。

寺院に到着すると、ありとあらゆる人種、老人から子どもまでの人びとでごった返していました。

登録するための受付を探したのですが、どこにも見当たりません。入口では、車で来た人に、屈強そうな教徒たちが、「物資の運搬をやりたいのか」「物資を外から運んできたのか」「ボランティアなのか」などと訊きながらそれぞれの場所へと誘導していきます。

誰かが「あなたは何をしなさい」と指示を出すわけではないので、いきなり裸足になって、自主的にどこかのグループに交じるしかありません。周りの人に質問しながら、見知らぬ者同士、見よう見まねで、ただただ作業をするのです。

私は皿洗いのコーナーに行ってみました。提供されるのは、全部インド料理。食器はステンレスで割れないものが使われており、皿洗いなら私にもできそうです。

よく見ると、「皿洗い」は五段階に分けられていました。

皿から食べ残しを捨てる人
洗剤で洗う人
濯ぐ人
もっと濯ぐ人
洗い終わった食器を運ぶ人

「ざっくり」とシンク別に仕事が分担され、隣の人に食器を渡していく。最初に受けた印象よりずいぶんシステム化されていました。

この無料食堂は、ヒンズー教のようなカースト制度もなく、すべての人にオープンにしているため、こういう共同作業にはみな慣れているのでしょう。

しかし、これだけ人が集まると、いろいろな人がいます。

手を洗わないで参加しようとする人には「あっちで手を洗ってね」と誘導します。

まだ汚れが残っている皿が見つかると、「クオリティ・チェックだよー」とお皿が戻ってきます。小さな子どもでも手伝えるように、踏み台になる椅子も置いてあります。お皿が作業台の上にいっぱいになるとパッと持って運んでいく人、床がびしょびしょになると、サッとモップで拭く人がいて、自主的にテキパキ動いています。疲れて作業から離脱しても、新しい人がスッと入って引き継いでくれます。一箇所に複数人が入ることもあるし、複数箇所をまとめて誰かがやることもあります。

まとめ役に「ボランティア同士で揉めないのですか?」と訊くと、「そりゃ中にはやり方がおかしいやつもいるよ。けど『おい、間違っているぞ』とは言わず『こうしたら良くなるよ』と言うようにするんだ。言い方の問題だよ」と言っていました。

難しい作業もなくシフトも組まない。下手に組織立っているより自分のしたいようにやる「ざっくりマネジメント」。そのシンプルさがいいなと思いました。

他者への基本的な信頼があると、社会のルールは少なくなります。

この寺院では、ルールといっても、「ボランティアの参加者は髪を覆うこと」「アルコールとタバコは禁止」という最低限のものしかありませんでした。「悪い奴が交じっていたらどうするのか」といったことも想定していないのでしょう。

シク教の寺院でのボランティアのように、社会全体が、「自分の行動に責任を持つ」という意識があれば、他人を責めなくなります。マレーシアでは宗教を信仰している人が多いので、どの宗教にせよ「神様が見ている」という考えが根本にあります。「まあどうせ人間がやることだから完璧にはできない」と、何事においてもゆったり構えていられるのでしょう。

「ま、いいか」をギャグにする人びと

マレーシアの人はなんでもギャグにしてしまいます。

待ち合わせに遅れるときの決まり文句と言えば、「OTW（いま行く途中）」です。「on the way」の略語で、英語でやり取りするときによく使われます。日本風に言うと「蕎麦屋の出前」みたいな感じで「いま向かっています」という意味です。

スタンダップ・コメディのゴッドファーザーと呼ばれるハリス・イスカンダルさん演じる「Mr.マレーシア」のネタとしても「OTW」は使われています。

あるコントで、幕が上がってもなかなか舞台に現れないMr.マレーシア。相方のコメディアンが、

「Mr.マレーシアはいつも遅れて来るんだよね……」

と電話をかけます。

「ハロー？ Mr.マレーシア？ ＯＴＷ？ あと五分？……」

そして電話を切って、こう言いました。

「どうやら彼は今起きたばっかりみたいだね」

本番が始まっているのに、のっけから観客を待たせてしまうのです。

とニコニコしながらやっと舞台に現れるMr.マレーシア。

「ソーリー、ソーリー」

「なんで遅れたの？」

「Jam（渋滞）、あと雨、洪水、猫が……」

などと言い訳を並べながら最後に、

「ご飯食べる？」

と食べ物を出してくるのです。

「ああ、よくあるある！」

まさにこんな感じ、とみんな大爆笑。

こんなふうに悪びれない人が多く、「予定」というのはあくまでも「予定」。

インドネシアには「ゴムの時間」という言葉があります。「時間はゴムのように伸び縮みするもの」という意味です。「最後に辻褄が合えば、それでオッケー」ということでしょうか。沖縄にも「島時間」という言葉がありますから、こういった時間の感覚は南国特有のものなのかもしれません。

とはいえ、最近では時間に厳しい人も増え、ずいぶんと変わってきた面もあります。それでも日本に行くマレーシア人には、時間の感覚についてうるさく言っておかねばなりません。「申し訳なさそうなフリをすること」も日本では重要なのです。

断水や洪水もお笑いネタに

マレーシアの社会の中で感じるのは、「Mr.マレーシア」に象徴されるようなユーモアのセンスです。

パンデミックの初期には、首相や大臣がよくTwitterで国民に状況を説明していましたが、深刻な状況でも、顔文字やジョークを織り交ぜて発信することにとても驚きました。未知のウイルスの話をしている最中だというのに、なんでも「ユーモアにしてしまう」傾向があるのです。

仕事で団体旅行をしているとき、滞在先のホテルが突然断水してしまい、シャワーもトイレも使えなくなる事態になりました。こういうとき、グループチャットでは、「断水をネタにした画像やビデオを作って送りあう」のです。夜中に、面白画像が次から次へと送られてきては「ＬＯＬ」（「laughing out loud」の略。「爆笑」という意味）などと言い合っていました。こういう事態になってもマレーシア人は「お笑いにしてしまう」のです。

二〇二一年、クアラルンプールで大規模な断水があったときもよく動画が流れてきました。

友人の家などは七日間も水が出ない事態になったのですが、やはりスポーツジム仲間のグループチャットから、ペットボトルを首に巻いて洗髪する面白動画が送られてきました。あまりに面白かったのでその映像をTwitterで紹介したらバズったこともありました。

洪水は雨季によく起きるのですが、この時期には、水の中でウォータースポーツをしたり、大人数で水に浸かりながらご飯を食べていたりといった面白い画像や動画がたくさんシェアされます（インドネシアでも同様のようです。ただしワニがいて危険とか、不潔という声もあります）。

もちろん、断水や洪水が起きると生活は困ります。友人たちの多くは水が出ている地域のホテルに避難したり、親戚の家へ水を分けてもらいに行ったりしていましたが、その合間でも写真や動画を撮ってネタにしているのです。

真面目になりつつあるマレーシア

そんなマレーシアですが、最近は少しずつ「ちゃんとする」方向に社会は変わってきているようです。お気楽な人たちに対し、意見する人も出てきています。

地元の英字新聞「ザ・スター」のエグゼクティブ・エディターであるブライアン・マーティンさんは、ソーシャルメディアに断水についてのジョークが出回っていることを取り上げ、「問題に直面している人にとっては笑いごとではない」と記事に書きました。

日本だったら、なぜ対策が遅いのかと責任を追及する人が大多数でしょう。深刻であるはずの災害による困難をジョークに変えてしまう国民に呆れて新聞記者がコラムで苦言を呈する、なんてことにはならないのではと思います。

マレーシアにも、日本や韓国をお手本に「もっとちゃんと、真面目にやろうよ」という人がいます。自国を苦々しく思い、「日本のようにシステムを完璧にしてほしい」と思っている人もいます。

そんなわけで、マレーシアでもビザや交通ルールなど、だんだん規制が厳しくなってきました。そのうち日本のような社会に変わっていくのかもしれません。だんだんとジョークを言う人は少なくなり、間違えたり失敗した人を糾弾し、反省させるような社会になっていくかもしれません。

それにしても、国によって人びとの行動はこうも違うのかと驚きます。

同様に日本人にも、マレーシアに憧れてやってきたものの、この社会のシステムや人びとの緩さについていけず帰国してしまう人はとても多いです。日本のシステムの中にいた方が安心できると言うのです。マレーシアは滞在先として人気があるわりに、滞在年数はそんなに長くはないのです。

一方で、私のようにすっかりこの国の緩さに馴染んでしまい、東京に帰ってやっていけるだろうかと戦々恐々としている日本人もいます。

私は、「完璧」を目指すために人びとが責め合うギスギスとした社会よりは、多少は不完全でも遊びがある方が楽だと思います。東京にいた頃は、電車が定刻に来たり、システムがしっかりしていることが誇りでしたが、今は気になりません。「別に電車は定刻通りに来なくても、待っている間にお茶でもして、隣の人と仲良くなれたらそれも楽しいよね」と思ってしまいます。

どっちが正しいということではなく、「考え方」や「正解」はいっぱいあっていいのだと思います。

「ウニ的」「風船的」人間関係

友だちを作るのは難しくないマレーシアでは、「人をよく知るためには一緒に旅行をするか、仕事をするのがいい」と言われます。

マレーシアではなぜ「友だちを作るのは難しくないのか」というと、人間関係における「離脱戦略」が簡単に取れるからではないかと思います。

「離脱戦略」とは、たとえば、旅行した後に「あの人、なんだか神経質すぎて無理。友だちになるのはやめておくわ」と関係から疎遠（＝離脱）になるようなことです。先のシク教の寺院でのボランティア活動のように、疲れたり飽きたら、その場を離れて休んだり、家に帰ってしまったりできるのです。

長男が小学生の頃、

「マレーシアの子どもたちの関係は風船のようだね」

と言っていたことがあります。

近づきすぎず、接近してもすぐに離れる。別のグループに飛んでいく子もいて入れ替わりも多く、あまりくっつかないという意味です。

そして日本の学校での人間関係を、

「箱にぎっしり詰められたウニみたい」

と表現していました。

日本の子どもたちは、みんな「ちゃんとして」いてお行儀が良い。しかし狭い社会なので、人と人との距離が近く、棘（とげ）がお互いに刺さらないように気を遣って生きている。そのためお互いの行動にとても敏感になり、慎重に行動しなければならないという意味です。

これは子どもの社会だけでなく、大人になってからも引き継がれていきます。

箱に詰めこまれていつも「ちゃんとしてなきゃいけない」といった「ウニ的な人間関係」だと、付き合ってみて「合わないからやめる」という「離脱戦略」ができない。知らない人と簡単に付き合い始めることもできないため、フレンドリーに振る舞うのが難しくなります。

人間関係の形は人によって合う、合わないがあるので、日本からマレーシアに来た子どもの中には、「風船的な人間関係」をとても寂しく感じるケースもあります。

もちろんマレーシアでもメンバーを固定している「ウニ的なコミュニティ」もあります。こういうところは、グループに入れてもらえるまでに時間もコストもかかっているため、「合わない」と思っても抜けるのが大変です。

どちらかというと、私は「風船的な人間関係」が居心地良いです。

「永遠の仲良しグループのような人たち」と友だちになろうとするとどうしても慎重になってしまい、日本にいた頃は何度も痛い思いをしました。

気が合わない人と、いかに距離を置いたまま、揉めずに過ごすかという「離脱戦略」。この戦略を親が子どもの頃から教えることの方が大切なのだと感じています。

「寛容と合理性」が社会を豊かにする

マレーシア人に「寛容」について聞くと、

「マレーシア人は寛容ではない。合理的なだけ」

という答えが返ってくることがあります。

たとえば、マレーシアの前政権は汚職で糾弾されました。当時、国民の政権への怒りは激しく、デモも数多く起きました。

「でも、政治家に石を投げたりする人は、マレーシアでは少なかったでしょう？　ゼロとは言わないけど、他国に比べたら少ない。なぜだと思う？」

とその人は訊いてきました。

「石を投げたり、ある民族についての排斥運動なんかしたら、人びとは安心して住めなくなる。治安が悪化し、外国人観光客には敬遠され、人が寄り付かなくなれば、経済が停滞する。そうなると困るのは自分たち。良い生活ができて、楽しく暮らせるのはどちらか？と考える人が多い。だから寛容にならざるを得ない」

　と彼女は言うのです。

　以前、中国の旧正月（春節）で「犬の飾りを飾るのは良いか悪いか」が議論になったことがあります。華人にとって干支（えと）の縁起物を飾るのは当たり前ですが、ムスリムには犬をよく思わない人もいます。

「お互いに文句を言うこともあるけれど、結局この国は三民族と少数民族がいて成り立っている。民族の性格が違うので、それぞれに異なる分担ができ、結局は全員で仕事した方が効率が良い。だから、コミュニケーションがとても大事なんだよね」

　彼女が言うように、こんなに多様性のある世界で、「自分の正義」を振りかざしていると、すぐに「別の正義」とぶつかってしまう。長い目で見たときの「自分の得」を考えたら、正義を追求したり、他者に怒りをぶつけることで得られるものは少ないのです。

　何か「こと」が起きたとしても、責められたり、怒られたりしない。多民族国家のため、「正義」の数が一つではなく、「良い」「悪い」を簡単には断定できないのです。もちろん人種差別などの問題で、その場が紛糾することもありますが、間違いや失敗に対してはおおむね寛容。そして私のような「ちゃんとしていない」人間は安心するのです。

異なる空気の世界へ

マレーシアの外交はよく「全方位外交」と呼ばれます。

イスラム協力機構のメンバーでありながら、同時に英国を中心とするイギリス連邦（コモンウェルス＝旧英国の植民地を元にしたグループ）の加盟国でもあります。中国との関係も深くなり、「一帯一路」にも参加しています。イスラエルを国として承認はしていませんが、アメリカともできるだけ中立に付き合いたいという考えを持っているようです。

マハティール元首相も、

「マレーシアは小さな国だから、他国と戦っている余裕はない」

と言っていました。

小さな国だから、他者に寛容にならなければ生きていけない。よそ者に優しいのも、そんな戦略的、合理的な理由があるのかもしれません。

同時に、二〇一八年の政権交代の夜に起きたことを思い出しました。

当時は選挙が不正に行われているという情報も飛び交っていました。多くの人が諦めを感じている中、まさかの政権交代が起こったのです。

マレーシア人はグループチャットでいろんなことを話します。私は外国人で、マレーシアの政治に関わることはできないので発言は控えていましたが、通っているスポーツジムのチャットですら政治一色になりました。

ところが、チャットに流れてきたのが、

「政権交代を喜ぶのはやめよう」

「相手を刺激して、暴動が起こらないようにしよう」

「マハティール首相は九十代の高齢で疲れている。国民がしっかりしよう」

という呼びかけでした。

このとき私は、この国の人が心底暴動を恐れていることを初めて理解したのです。

一見平和なマレーシアでも、一九六九年に「人種暴動」が起きています。

「マレーシア史上最悪」と言われるこの民族衝突で、たくさんの人が亡くなったことをいまだに多くの人が記憶しています。「あの人種暴動を繰り返してはいけない」とことあるごとにマレーシア人が言うのを私もよく耳にしてきました。

ですから、「物事を合理的に考え、寛容になった方が社会にとってメリットが大きい」ということを実感として国民は知っているのでしょう。

よく「多様性は相手を理解すること」と言われますが、実はそれは非常に難しいです。宗教や習慣がまったく違う相手のことは、一生かかっても「理解」できないかもしれません。ですから、できることは、「理解はできないけど、そのままに放っておく。口を出さない」ことです。

Mind your own business（自分のことに集中せよ）

マレーシアで、何度聞いたでしょうか。つまり、自分の責任の範囲に集中すること。理解できない他人を必要以上に見ないことです。

日本でも「正解のない教育」とか「個別最適化された教育」と言われるようになりました。終身雇用も崩壊し、「日本モデル」が変わろうとしています。

ＧＤＰが中国に抜かされた、と騒がれますが、他の国に「勝つ」必要もないと思います。「あれも正解」「これも正解」「みんな正解」が行き渡ると、勝ち組も負け組も無くなって、他人の生き方に余計な口を出す人が減ります。自分の人生に集中する人が増えると、ようやく「生きやすく」なっていくのではないでしょうか。

生きるのが楽しくなる人が増えることを祈っています。

おわりに

視野が広がれば広がるほど、正解がわからなくなり、たどり着けなくなります。

マレーシアに来て十一年になりますが、この国についても知らないことが増える一方です。

二〇二二年の夏、久々に欧州（オランダ、フランス、ドイツ、ベルギー、英国）に行きました。電車は時間通りに来ないし、街に出れば、エスカレーターは止まっているし、「コーヒーメーカーが壊れています」「バスが運行停止になります」と言われたりしました。

私が「先進国」に抱いていたイメージが崩れた瞬間です。

フランスでは電車が故障し野原の真ん中でストップ。人びとは辛抱強く待っていて、暴動も起きなければ、怒っている人もいないのです。

地元の人は「いつものことだからみんな慣れているよ」とあっけらかんとしています。

ドイツの空港はパンデミック後のカオスといった様相で、長い行列ができていたのですが、そこでもスタッフがお客さんに冗談を言って笑わせています。ヨーロッパでもお店に入ると、お客さんと店員さんは対等だと感じます。

ほんのわずかの期間ながら、「多くの国は、日本よりむしろマレーシアに近いな」と思ったのです。

もしかしたら、私がマレーシアで見てきた（と思い込んでいた）「ゆるい世界」は、世界の多くの国での標準で、「日本のサービスの方が少しばかり変わっているのかもしれない」とnoteに書いたところ、何人かの欧州在住者が賛同してくれました。

中には、「サービスが時間通りなのは東アジアくらいですよ」と言っていた人がいました。

自分の視野の狭さを思い知った瞬間です。

あまりにも自分が何も知らないことに愕然として、二〇二二年秋、私は米国のオンライン大学院に入り、「学ぶとは何か」を学び直すことにしました。ついていけるかどうかは未知数ですが、数年後には、また全然違う視野を持っているかもしれません。

「日本に旅行に行くのは最高、でも働くのは嫌」

東南アジアに住む人たちから、何度この言葉を言われたことでしょうか。

日本人からも同じ言葉を聞きます。

「母国ではもう働きたくはないけど、住むだけなら清潔で安全でサービスが良くて環境が整っていて安心だ」

「ちゃんと」している社会はサービスを受けている側からすれば、すごく快適そうですが、提供する側は厳しい労働環境に身を置かなければなりません。


私は、もう少し社会の構成人員がリラックスすることで、日本でも幸福度が高い社会が作れるのではないか？　と考えます。

「グローバル化に対応したら、ローカルがなくなってしまうのでは？」と心配される方もいるかもしれません。

日本は歴史的にも、外国の「いいとこ取り」をしてきた国です。漢字や仏教を中国から取り入れ、明治維新では欧米文化を受け入れました。ですから、幸福度の高い生き方も、ある程度真似できるのではないでしょうか。

一方で、「安全で完璧なサービス」を望む人には、オプションで残せばいいと思います。

それに、実は多くの国が「グローバルとローカルの二枚舌」を使い分けています。

マレーシアは、どこでも英語が通じ、外国人が働きやすい国ですが、一方で、宗教を中心とした「民族それぞれのコミュニティ」が健在です。

マレー系の友人は、いつも民族衣装を着ているような敬虔（けいけん）なムスリムですが、同時に子どもたちはドイツなどに留学させています。

「世界はつながっていて、子どもたちが生きる世界はこれからもっとグローバルになるからね」

こんなふうに、「グローバル」「ローカル」も二項対立ではなく、いいとこ取り、ハイブリッド、グレーゾーンなどの捉え方ができます。

少子高齢化や世界情勢の不安定化など、あまり明るい材料の見えない昨今ですが、そんな中でも楽しく暮らす方法はあるのではないか。

日本の良さを残しつつ、みなが楽になっていく。

これが実現できたらいちばん良いと思います。

最後に本書の元となった毎日のnote「東南アジアここだけのお話」発信を支えてくださる読者のみなさん、辛抱強く伴走してくださった文藝春秋ノンフィクション出版部の伊藤淳子さん、装丁をしてくださったデザイン部の大久保明子さん、素敵なイラストを描いてくださった芦野公平さん、校閲の皆さん、また取材に応じてくださった方々、本書の草稿にアドバイスをくれた友人にお礼を申し上げます。そして家族にも「ありがとう」。

野本響子

二〇二三年一月

参考文献・資料

第1章 「まあいっかの生活」からはじまる人生の幸福

経済産業省　平成28年「内なる国際化研究会」報告書

https://warp.da.ndl.go.jp/info:ndljp/pid/10290079/www.meti.go.jp/press/2015/03/20160322001/20160322001a.pdf

内閣府が二〇一九年に実施した「満足度・生活の質に関する調査」（第1次報告書）

https://www5.cao.go.jp/keizai2/wellbeing/manzoku/index.html

三菱UFJ銀行「年収800万円が幸福度の限界点？年収と幸福度の関係とは」

https://www.bk.mufg.jp/column/keizai/0008.html

Free Malaysia Today　Malaysians Are a Happy Lot Says Survey

https://www.freemalaysiatoday.com/category/nation/2022/07/22/malaysians-are-a-happy-lot-says-survey/

The Star「M'sians generally a happy bunch」

https://www.thestar.com.my/news/nation/2022/07/23/msians-generally-a-happy-bunch

The Star「What's the secret to happiness? Love, and meaningful relationships」

https://www.thestar.com.my/lifestyle/living/2020/01/05/the-pursuit-of-happiness

Varkey Foundation「What the world's young people think and feel」

https://www.varkeyfoundation.org/media/4487/global-young-people-report-single-pages-new.pdf

CNBC make it「The top 10 cities for expats living and working abroad in 2021」

https://www.cnbc.com/2021/12/01/the-top-10-cities-for-expats-living-and-working-abroad-in-2021.html

リー・クアンユー『目覚めよ日本　リー・クアンユー21の提言』たちばな出版

山岸俊男『安心社会から信頼社会へ　日本型システムの行方』中公新書

Smart FLASH「子どもを育てると損をする…日本にはびこる『子育て罰』すぐに廃止を」

https://smart-flash.jp/sociopolitics/151985/1

集英社新書プラス　野本響子×工藤勇一対談「子どもも親も先生も変わる！　教育において本当に大事なことは何か」
https://shinsho-plus.shueisha.co.jp/interview/【対談】野本響子×工藤勇一/16632
『大辞林』三省堂
唐渡千紗『ルワンダでタイ料理屋をひらく』左右社

第2章　「まあいっかの働き方」がビジネスを変える

日経XTECH「『完璧主義』が招く日本の過剰品質」
https://xtech.nikkei.com/atcl/nxt/column/18/00134/062100264/
日本貿易振興機構（JETRO）海外調査部「供給制約、輸送混乱と企業の対応状況」
https://www.jetro.go.jp/ext_images/world/covid-19/info/logistics0217r.pdf
小田淳『中国工場トラブル回避術　原因の９割は日本人』日経BP
東洋経済オンライン「『中国人、韓国人』と日本人が働きにくいワケ」
https://toyokeizai.net/articles/-/160021
中島聡『なぜ、あなたの仕事は終わらないのか　スピードは最強の武器である』文響社
パーソル総合研究所「APAC就業実態・成長意識調査」
https://rc.persol-group.co.jp/thinktank/data/apac_2019.html
岡本茂樹『反省させると犯罪者になります』新潮新書

第3章　「まあいっかの教育」が視野を広げる

全米教育協会「An Educator's Guide to the "Four Cs"」
米国経営者協会「AMA 2020　クリティカルスキル調査」
アリ・アルモサウィ・南学正仁訳「絵で見てわかる誤謬の事典」
https://bookofbadarguments.com/jp/
Excelsior University Argument & Critical Thinking – Logical Fallacies

https://owl.excelsior.edu/argument-and-critical-thinking/logical-fallacies/logical-fallacies-bandwagon/
山口周『武器になる哲学 人生を生き抜くための哲学・思想のキーコンセプト50』KADOKAWA
松井博『企業が「帝国化」する アップル、マクドナルド、エクソン〜新しい統治者たちの素顔』アスキー新書
文部科学省IB教育推進コンソーシアム
https://ibconsortium.mext.go.jp/wp-content/uploads/2019/04/IB%E5%AD%A6%E7%BF%92%E8%80%85%E5%83%8F.pdf
藤村正憲facebook　https://ja-jp.facebook.com/global.fujimura/
JETROビジネス短信「2021年内に全成人への新型コロナワクチン接種完了を目指す(マレーシア)」
https://www.jetro.go.jp/biznews/2021/07/2cc2014bf2d201b5.html
能力開発工学センター「JADECニュース76号　2008.11」加筆修正　研究開発部 矢口みどり
imidas　村上祐介「小学校に広がる謎ルール『スタンダード』とは何か〜教員と子どもを縛る教育システム」
https://imidas.jp/jijikaitai/f-40-192-20-03-g797
ハフポスト「『障害児は分離され、通常の教育を受けにくくなっている』国連、日本政府に“分離教育”やめるよう要請」
https://www.huffingtonpost.jp/entry/story_jp_631bf906e4b082746bdfe371
Kaede Maeda, Hirofumi Hashimoto, Kosuke Sato, Japanese Schoolteachers' Attitudes and Perceptions Regarding Inclusive Education Implementation: The Interaction Effect of Help-Seeking Preference and Collegial Climate, Frontiers in Education (2021)

第４章　「まあいっかの人間関係」が社会を豊かにする

Lee Kuan Yew『One Man's View of the World』Straits Times Press. Kindle版
niftyニュース「上から目線の上司、論破できる？メンタリストDaiGoが教える簡単論

破テク」
https://news.nifty.com/article/economy/economyall/12293-790069/
鴻上尚史『ロンドン・デイズ』小学館文庫
The Star「Youths of all races help out at PJ gurdwara in aid of flood victims」（すべての人種の若者がPJの寺院で洪水の犠牲者を助ける）
https://www.thestar.com.my/metro/metro-news/2021/12/22/youth-volunteers-at-pj-gurdwara-pack-food-supplies-for-flood-victims
To Know Malaysia Is To Laugh Malaysia
https://www.youtube.com/watch?v=rEYF_cqDCgc&t=735s
The Star「Water disruption is not a laughing matter」
https://www.thestar.com.my/opinion/columnists/on-your-side/2019/07/26/water-disruption-is-not-a-laughing-matter/

装丁　大久保明子
装画　芦野公平
DTP制作　エヴリ・シンク

野本響子（のもと・きょうこ）

早稲田大学卒業後、保険会社を経てアスキーで編集に携わる。フリー編集者を経験後にマレーシアに移住し、現在はnoteやVoicyなどで同国の生活や教育情報を発信。著書に『マレーシア小・中・高校留学の基本知識』『マレーシアに来て８年で子どもはどう変わったか』（サウスイーストプレス）、『いいね！ フェイスブック』（朝日新書）、『日本人は「やめる練習」がたりてない』『子どもが教育を選ぶ時代へ』（集英社新書）など。

東南アジア式「まあいっか」で楽に生きる本

2023年2月10日　第1刷発行

著　者　野本響子

発行者　大松芳男

発行所　株式会社　文藝春秋

〒102-8008　東京都千代田区紀尾井町3-23

☎ 03(3265)1211

印刷所　理想社

製本所　大口製本

 ISBN978-4-16-391658-3
Printed in Japan